101 comptines et BRICOLAGES

101 comptines et BRICOLAGES

L. BLANCHETTE
R. MONETTE
D. TRUSSART

ÉDITIONS DU TRÉCARRÉ

Conception et réalisation graphique : Michel Gagnon Arts graphiques

Illustrations : Michel Gagnon et Francine Bélanger

Photocomposition : Ateliers de typographie Collette inc.

ISBN 2-89249-194-0   (Éditions du Trécarré)

Dépôt légal — 4e trimestre 1987
Bibliothèque nationale du Québec

Arti Grafiche VINCENZO BONA - Torino - Imprimé en Italie

Éditions du Trécarré
Saint-Laurent (Québec) Canada

Exclusivité en Europe:
Éditions Gamma, Tournai (Belgique)
ISBN 2-7130-0877-8
D/1987/0195/50

INTRODUCTION

Dans un monde où la consommation à outrance atteint l'enfant dès le berceau et où la télévision le maintient passif dès ses premiers pas, cet ouvrage veut l'encourager à s'amuser tout en utilisant et en accroissant son potentiel de créativité. Il aborde les différents aspects du développement de l'enfant et les grands thèmes qui marquent sa vie au cours d'une année.

À notre connaissance, aucun livre sur le bricolage ne couvre un champ aussi vaste. Notre expérience des enfants, principalement à la garderie, nous a démontré la valeur d'un tel outil pour les personnes qui sont en contact avec les jeunes, que ce soit à la garderie, au niveau préscolaire, au premier cycle de l'enseignement élémentaire ou à la maison.

Le bricolage est une source de joie et de satisfaction pour l'enfant. C'est, pour lui, un des moyens de s'approprier le monde concret. Si la création libre conserve tout son mérite, le bricolage suggéré, puis dirigé, complète la démarche de l'enfant. Il lui fournit des idées et des techniques nouvelles. Il l'aide à représenter avec succès des objets, des animaux et des personnages qu'il aime. Il l'incite à élargir avec confiance son champ d'exploration.

Par elle-même, l'activité de bricolage est déjà captivante, mais elle deviendra plus stimulante encore si on l'intègre à un centre d'intérêts. Dans ce but, les séances de bricolage sont précédées de petits textes qui canalisent la curiosité et la fantaisie de l'enfant vers le monde de la découverte. Tantôt ce sont des comptines ou des histoires, tantôt des jeux ou des incitations à la recherche.

Conçues spécialement pour les apprentis-créateurs, ces activités ont été expérimentées à maintes reprises. Le critère qui a présidé à leur choix est avant tout la simplicité. Les formes et les objets utilisés sont empruntés à l'environnement immédiat. Ce matériel de base est le plus souvent composé de formes toutes faites, éliminant ainsi des manipulations trop complexes. Il est garanti sans danger et peu coûteux, puisqu'il s'agit d'articles habituellement destinés à être jetés après emploi. Certaines opérations nécessiteront l'aide d'un adulte, mais, dans la plupart des cas, elles peuvent être omises sans compromettre le résultat final. Par contre, les plus expérimentés pourront à leur guise modifier, enjoliver et complexifier leurs réalisations sans l'aide d'une grande personne.

Les petits bricoleurs puiseront dans cet ouvrage le goût de fabriquer leurs jeux, leur décor et les cadeaux qu'ils veulent offrir à ceux qu'ils aiment. On y trouvera aussi des travaux collectifs qui pourront servir à l'aménagement d'un coin de la garderie, de la classe ou de la chambre à coucher. Certains bricolages intéresseront plutôt les adultes qui y trouveront des suggestions de cadeaux qu'ils désirent offrir aux enfants.

Nous souhaitons que petits et grands prennent plaisir à parcourir ces pages et à réaliser les activités suggérées. Peut-être iront-ils jusqu'à inventer à leur tour dix, vingt, cent nouveaux bricolages!

LES TECHNIQUES

Deux techniques sont très fréquemment employées dans cet ouvrage.

1. Le collage

Pour réunir deux objets, par exemple un rouleau de carton et une boîte, la colle seule ne suffit pas. Le papier essuie-tout chiffonné et enduit de colle que l'on insère dans une extrémité du rouleau permet d'obtenir une plus grande surface adhérente. Le collage obtenu est à la fois plus facile à faire et plus solide.

2. Les entailles

Cette technique permet d'insérer un objet dans un autre ; par exemple, un rouleau dans une boîte. On évite, ce faisant, de devoir découper au préalable un cercle qui risque, par manque de précision, d'être trop petit ou trop grand. Les entailles simplifient le travail tout en maintenant plus fermement le rouleau dans l'orifice ainsi créé. Il est peu important qu'elles soient inégales, mais on veillera à ce qu'elles ne soient pas trop profondes.

LE MATÉRIEL

Le matériel utilisé pour les bricolages se procure aisément. Voici quelques précisions qui vous guideront dans vos recherches.

- **La colle** employée est standard : liquide, blanche, à base de vinyle, transparente après séchage et surtout non toxique. On la trouve dans certaines librairies, dans les quincailleries et d'autres magasins.

- **Les brindilles de paille** sont disponibles dans la plupart des magasins durant la période de Pâques.

- **Le polystyrène en feuille** est en vente chez les détaillants en matériaux de construction.

- **On trouve dans les boutiques d'artisanat ou d'arts plastiques :**
plumes en vrac (les plumes provenant de plumeaux conviennent également), billes en bois perforées, boules de polystyrène, petits cailloux colorés, carton bristol, cure-pipes, étoiles préencollées, gouache non toxique, gommettes autocollantes, minuscules paillettes de couleur, rouleaux de vinyle transparent, feutrine (magasins de tissus).

- **On trouve dans les marchés d'alimentation :**
bâtonnets plats en bois ; récipients variés en carton comprimé et en polystyrène pour viande, légumes ou fruits ; boîtes à œufs à alvéoles, etc.

LES BRICOLAGES

LES CINQ SENS

oux, doux, doux
comme la plume d'un oiseau doux.

Doux, doux, doux
comme l'aile d'un papillon doux.

Doux, doux, doux
comme la laine d'un mouton doux.

Doux, doux, doux
comme ton doigt sur ma joue.

Doux, doux, doux
comme un baiser dans le cou.

LE TOUCHER: BOÎTE À CARESSER

Matériel

- 1 boîte en carton (mouchoirs de papier)
- 12 pochettes d'allumettes vides
- 12 fragments de textures différentes:
plume, fourrure de mouton, de lapin, papier abrasif, jute, daim, ouate, plastique, soie, tissu éponge, velours côtelé, cuir, etc.
- Gouache
- Colle
- Ciseaux

Fabrication

1. Peindre la boîte et les pochettes d'allumettes, puis les laisser sécher.

2. Tailler douze morceaux de textures différentes et les coller à l'intérieur de chaque pochette d'allumettes.

3. Coller le dos des pochettes sur le pourtour de la boîte.

Suggestion

Selon la quantité de matériaux disponibles, on pourra utiliser des boîtes d'autres formats.

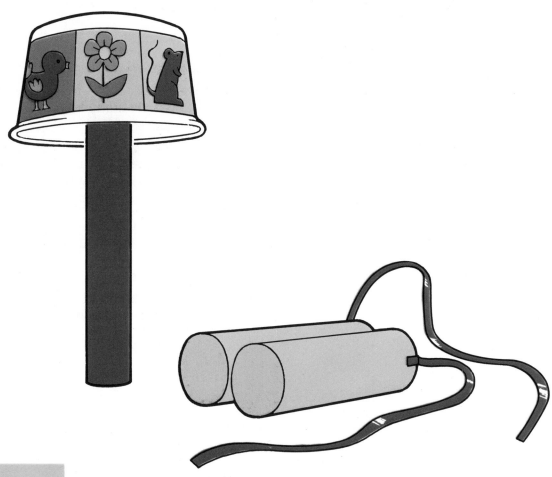

Je regarde autour de moi ce qui ne bouge pas:
un caillou, un radis,
une souris endormie
et moi,
quand je ne veux pas aller au lit.

Je regarde autour de moi ce qui bouge lentement:
une tortue, une fourmi,
un nuage de pluie
et moi,
quand je sors de mon lit.

Je regarde autour de moi ce qui bouge rapidement:
une automobile, un hélicoptère,
un vol d'oiseaux dans l'air
et moi,
quand c'est l'heure du dessert.

Matériel

- Gouache
- Colle
- Ciseaux

Pour les jumelles

- 2 rouleaux de papier hygiénique
- Ruban ou ficelle

Pour l'écran

- 1 récipient en plastique (margarine)
- 1 rouleau d'essuie-tout en papier
- Essuie-tout en papier

Décoration

- Images découpées dans des catalogues, revues ou livres

Fabrication

1. Peindre les trois rouleaux; laisser sécher.

2. Les jumelles:

Coller sur leur longueur les deux petits rouleaux.

3. Percer un trou dans chaque petit rouleau à une extrémité et y nouer les deux bouts de ruban ou de ficelle.

4. Décoration de l'écran:

Découper les images et les coller sur le pourtour du récipient placé à l'envers.

5. Assemblage de l'écran:

Chiffonner du papier essuie-tout et en coller à l'intérieur d'une extrémité du rouleau, en laisser dépasser un peu, l'encoller et le fixer à l'intérieur et au centre du récipient.

**D**ing! dong!

— Où es-tu?
— Je suis dans le clocher de l'église.
— Ding! dong!
— Où es-tu?
— Je suis au cou de la vache.
— Ding! dong!
— Où es-tu?
— Je suis à la porte de ta maison.
— Ding! dong!
  Ding! dong!
— Entre donc!

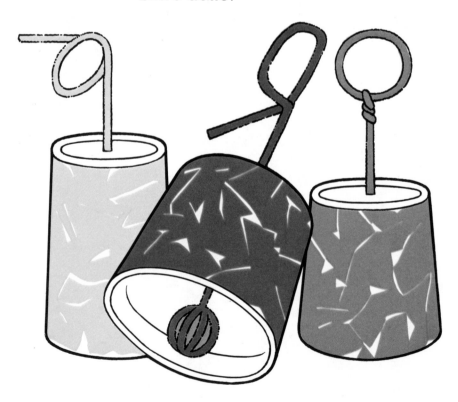

L'OUÏE: CLOCHES

Matériel

(pour une cloche)

- 1 petit pot de yogourt en plastique
- 1 cure-pipe de 30,5 cm
- 1 bille en bois perforée
- Colle
- Ciseaux

Décoration

- Bouts de feutrine

Fabrication

1. Percer délicatement la base du pot au centre.

2. Décoration de la cloche:

Tailler des bouts de feutrine et les coller sur le pot.

3. Installation du grelot:

Insérer le cure-pipe dans le trou du pot.
Enfiler la bille à une extrémité du cure-pipe et replier le bout de celui-ci, l'autre extrémité repliée servira de poignée.

Suggestions

1. Des bouts de tissu, de papier de bricolage ou de papier de soie peuvent également servir pour la décoration.

2. Les cloches différeront selon la forme des pots utilisés.

Hum! hum!
Qu'est-ce que ça sent?
Ça sent le printemps.

Hum! hum!
Qu'est-ce que ça sent?
Ça sent les fleurs des champs.

Hum! hum!
Qu'est-ce que ça sent?
La tarte aux pommes de grand-maman.

Hum! hum!
Qu'est-ce que ça sent?
Ça sent papa, ça sent maman.

L'ODORAT : BABIOLES À RESPIRER

Matériel

- 2 boîtes de raisins secs de grandeurs différentes
- Papier de soie
- 1 cure-pipe de 30,5 cm
- Tampons d'ouate
- Différents extraits odorants: essences, parfum, poudre

Fabrication

1. Percer le dessus des boîtes et les peindre; laisser sécher.

2. Imbiber ou saupoudrer les tampons d'ouate avec les arômes choisis.

3. Placer les tampons dans les boîtes et dans le papier de soie, attacher celui-ci avec un cure-pipe.

Remarque

Si l'on emploie des essences ou du parfum, laisser sécher un peu les tampons afin de ne pas détremper les boîtes et le papier de soie.

Pour mon goûter,
j'ai dévoré
un œil,
une feuille,
une bouche, un nez;
oui, c'est la vérité.

CLOWN

Aliments

- 1 tranche d'ananas
- 1 kiwi pelé
- 1 raisin rouge coupé en 2
- Raisins secs
- Cornet à crème glacée
- Cure-dents

Fabrication

1. La collerette:

Utiliser une tranche d'ananas sur laquelle on dispose des raisins secs.

2. La tête:

Déposer un kiwi au centre de la tranche d'ananas.

3. Les yeux:

Piquer deux moitiés de raisin dans le kiwi.

4. Le chapeau:

Déposer le cornet sur le kiwi.

ARBRE

Aliments

- 1 concombre pelé, coupé en 3
- 1 carotte coupée en rondelles
- Cubes de fromage ou fromage en grains
- Cure-dents

Fabrication

1. Le tronc:

Se servir du morceau de concombre.

2. Les branches feuillues:

Piquer des cure-dents à la fois dans des cubes de fromage ou fromage en grains et des rondelles de carotte.

Remarque

On pourra fabriquer différents montages suivant les aliments disponibles.

Suggestion

Cette activité pourra se réaliser au moment d'une collation ou pour la préparation d'une fête.

LES FORMES
ET LES COULEURS

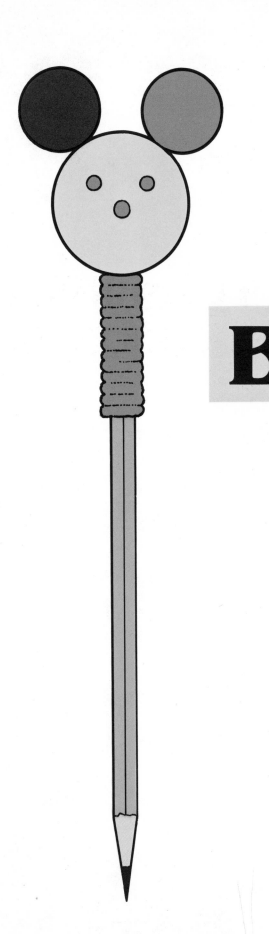

Bleu, jaune, rouge
mon crayon bouge,
il dessine une queue à ma souris.

Bleu, jaune, rouge
mon crayon bouge,
il dessine un gros chat gris.

Bleu, jaune, rouge
mon crayon bouge,
petite souris, sauve-toi d'ici!

LE ROND : CRAYON-SOURIS

Matériel

- 3 bouts de cure-pipe de l'une des couleurs primaires
- 1 boule de polystyrène de 4 cm de diamètre
- 2 boules de polystyrène de 2,5 cm de diamètre
- 1 cure-dents
- 1 crayon
- Gouache rouge, bleue, jaune
- Colle
- Ciseaux

Décoration

- 1 cure-pipe de 30,5 cm de l'une des couleurs primaires.

Fabrication

1. Peindre les trois boules; laisser sécher.

2. Piquer l'extrémité non aiguisée du crayon dans la grosse boule.

3. Fixer, à l'aide du cure-dents cassé en deux, les deux petites boules à la grosse en ajoutant de la colle pour plus de solidité.

4. Piquer trois bouts de cure-pipe pour simuler les yeux et le nez.

5. Enrouler un bout de cure-pipe autour du crayon, sous la tête, afin d'enjoliver l'objet.

Des crayons,
j'en ai des millions,
des longs,
des ronds,
des petits,
des gris,
des bleus
comme tes yeux
tout noirs
quand vient le soir.

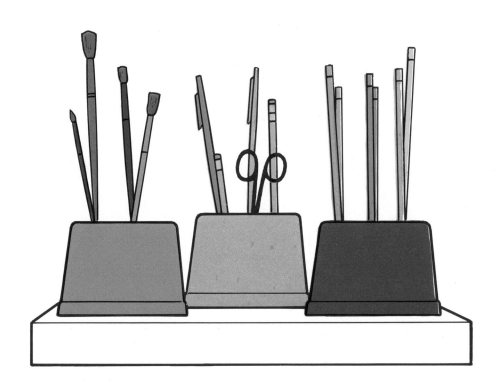

LE CARRÉ : PORTE-CRAYONS

Matériel

- 1 couvercle de boîte à chaussures
- 3 récipients carrés en polystyrène
- Papier essuie-tout
- Gouache rouge et bleue
- Colle

Fabrication

1. Peindre un récipient en rouge et un autre en bleu. Mélanger les deux couleurs pour obtenir du violet. Peindre le troisième récipient et laisser sécher.

2. Assemblage du porte-crayons :

Chiffonner des morceaux de papier essuie-tout et les coller à l'intérieur de chaque récipient, aux quatre coins ; en laisser dépasser un peu, y mettre de la colle et les fixer sur le dessus du couvercle.

Remarque

Ces récipients ont généralement un fond déjà perforé et peuvent recevoir, sans autre manipulation, crayons, pinceaux et ciseaux.

Dans ma tirelire, je cache mes sous.
Quand j'en aurai beaucoup, beaucoup,
        j'achèterai :

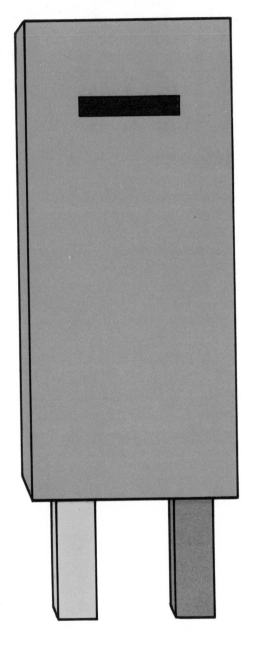

un hibou,
un coucou,
un toutou,
un pou
et un gros, gros méchant loup !

Dans la boîte aux lettres, tu trouveras
un petit cœur en papier, il est pour toi;
dans le petit cœur en papier, il y a une petite croix,
c'est un gros, très gros baiser pour toi !

LE RECTANGLE : BOÎTE AUX LETTRES

Matériel

- 1 boîte de coton-tiges
- 2 petites boîtes de raisins secs
- Gouache jaune et rouge
- Colle
- Ciseaux

Fabrication

1. Faire une ouverture sur la partie supérieure du devant de la boîte de cotons-tiges.

2. Peindre une petite boîte en jaune et l'autre en rouge. Mélanger les deux couleurs pour obtenir de l'orange. Peindre l'extérieur de la grosse boîte; laisser sécher.

3. Coller les deux petites boîtes sous la grande, à chaque extrémité, pour en assurer l'équilibre.

Suggestion

Cet objet peut également servir de tirelire.

Remarque

Il vaut mieux ne pas peindre l'intérieur de la grosse boîte. La peinture freinerait le glissement de la partie intérieure de la boîte.

Jaune, bleu, vert,
prends trois verres.

Bleu, vert, jaune,
trois petits cônes.

Vert, jaune, bleu,
peins-les un peu.

Et voilà terminé
ton joli, joli collier
tout en papier.

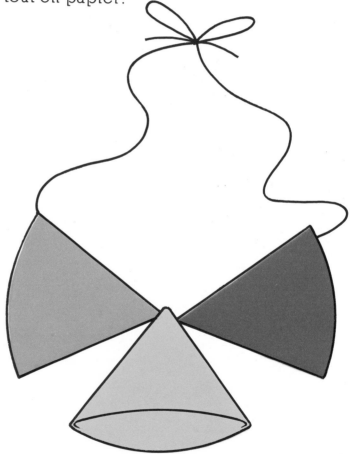

LE TRIANGLE : COLLIER

Matériel

- 3 cornets de papier
- Ficelle
- Gouache bleue et jaune
- Ciseaux

Fabrication

1. Aplatir les cornets.

2. Peindre un cornet en bleu et un autre en jaune. Mélanger les deux couleurs pour obtenir du vert. Peindre le troisième cornet; laisser sécher.

3. Assemblage du collier:

Couper la pointe de deux cornets et percer l'autre de part et d'autre de la pointe. Enfiler les cornets sur la ficelle.

Suggestion

Si l'on coupe la pointe des trois cornets, la disposition sera différente, ceux-ci se toucheront. C'est le cornet percé qui maintient écartés les deux autres.

LES PERSONNAGES

Sur la terre qui est ronde,
il y a bien du monde,
bien, bien du monde.

Mais pas deux personnes pareilles,
pas deux pareilles.

Les cheveux, les nez, les yeux sont différents.
Il y en a des petits, des moyens et des grands.
Des rouges, des noirs, des jaunes et des blancs.

Dans le nord, dans le sud et au milieu,
rien n'est pareil et c'est bien mieux.

PERSONNAGES DE RACES DIFFÉRENTES

Matériel
- 4 gobelets en polystyrène
- Colle
- Ciseaux

Décoration
du personnage de race noire:
- Papier de bricolage
- Papier de soie
- Cure-pipe

du personnage de race blanche:
- Papier de bricolage
- Feutrine
- Tampon d'ouate
- Gommettes autocollantes

Fabrication
1. Peindre un gobelet en brun foncé pour le visage du personnage de race noire; laisser sécher.

2. Les personnages:

Coller les gobelets deux à deux par la partie la plus large.

3. Décoration du personnage de race noire:

Tailler une bande de papier de bricolage, la coller au centre des deux gobelets.
Coller des bouts de cure-pipes pour les yeux, le nez et la bouche.
Garnir le chapeau en y collant des boules de papier de soie et un cure-pipe en tire-bouchon.

4. Décoration du personnage de race blanche:

Coller la bande comme pour le premier personnage.
Coller des gommettes pour les yeux, le nez et la bouche.
Garnir le chapeau de gommettes et d'un tampon d'ouate recouvert d'un petit rond de feutrine.

Suggestion
Ce genre de montage peut également servir à représenter les membres d'une famille ou différents personnages: un clown, une sorcière, etc.

Quand tu ris,
il y a des étoiles qui brillent dans tes yeux,
il y a des cloches qui sonnent dans ta voix.
Quand tu pleures,
il y a des nuages qui passent dans tes yeux,
il y a de la pluie qui coule sur ton visage.
Quand tu es en colère,
il y a des éclairs qui s'allument dans tes yeux,
il y a un gros tonnerre qui gronde dans ta voix.
Et puis quand tu souris à nouveau,
c'est comme le beau temps qui revient après l'orage.

Qu'est-ce qui te fait rire, toi?
Qu'est-ce qui te fait pleurer?

CLOWN QUI RIT, QUI PLEURE (recto verso)

Matériel

- 2 grandes assiettes en carton rigide
- 1 petite assiette en carton souple
- Papier de soie
- Bouts de cure-pipes
- 4 boutons à trous
- Poinçon
- Gouache
- Colle
- Ciseaux

Décoration

- Cure-pipes de 30,5 cm
- Feuille de papier de soie

Fabrication

1. Les oreilles:

Couper la petite assiette en deux, peindre chacune des faces, puis laisser sécher.

2. Les deux faces:

Placer les deux grandes assiettes à l'envers; donner à chacune une expression différente en utilisant une boule de papier de soie pour le nez, des boutons pour les yeux, des bouts de cure-pipes pour les sourcils et la bouche. Coller ces différents éléments sur chaque assiette.

3. Assemblage de la tête:

Étendre de la colle sur les rebords intérieurs des deux grandes assiettes et les coller en insérant de chaque côté, pour les oreilles, une moitié de la petite assiette.

4. Décoration du clown:

- Les cheveux:
Percer le nombre de trous désirés à l'aide du poinçon. Passer un cure-pipe dans chaque trou et le fixer en tournant le bout autour de la tige.
Donner aux extrémités des cure-pipes la position voulue.

- Le nœud papillon:
Plier la feuille en deux, la plisser au centre et y enrouler une extrémité d'un cure-pipe. Percer un trou à la base de la tête et y fixer l'autre extrémité du cure-pipe.

Suggestion

On pourra coller des bouts de laine en guise de cheveux et utiliser du papier cellophane pour le nœud papillon.

Le pantin est amoureux
d'une petite marionnette.
Il est heureux,
elle lui fait tourner la tête.

Il saute, il danse
et il gesticule.

Il tourne, il avance
et il recule.

Le pantin est amoureux
d'une petite marionnette.
Il est heureux,
elle lui fait tourner la tête.

PANTIN

Matériel

- 7 rouleaux de papier hygiénique
- 2 rouleaux de papier essuie-tout
- Papier de soie
- Papier essuie-tout
- 2 cure-pipes de 30,5 cm
- Gouache
- Colle
- Laine ou ficelle

Fabrication

1. Peindre les neuf rouleaux et les laisser sécher.

2. Le corps:

Coller ensemble cinq petits rouleaux et laisser sécher.

3. Installation des bras:

Perforer l'extrémité d'un petit rouleau.
Passer un bout de cure-pipe par le trou, le replier en l'enroulant sur lui-même et le glisser dans le premier cylindre formant le corps; fixer l'autre bras comme le premier.

4. Installation des jambes:

Fixer les deux grands rouleaux au dernier cylindre du corps en procédant comme pour les bras.

5. La tête:

Façonner une grosse boule avec du papier essuie-tout, la recouvrir de papier de soie et la coller au centre du premier cylindre du corps; bien laisser sécher.

6. Insérer une laine assez longue dans le premier cylindre du corps et nouer les deux bouts.

Remarque

La tête se compose surtout de papier essuie-tout afin d'économiser le papier de soie.

Suggestion

La laine est facultative parce que le pantin peut être assis et appuyé au lieu d'être suspendu.

**E**pouvantail,
chapeau de paille,
qu'est-ce que tu fais toute la journée, planté dans le jardin?

Épouvantail,
chapeau de paille,
est-ce que tu passes la nuit dehors?

Épouvantail,
chapeau de paille,
est-ce que tu te mets à bouger quand je ne te regarde pas?

Épouvantail,
chapeau de paille,
rêves-tu parfois d'être un oiseau?

ÉPOUVANTAIL

Matériel

- 1 gobelet en styromousse
- 2 feuilles doubles et un morceau de papier journal
- Cure-pipes
- 1 bâton (facultatif)
- Tissu
- Colle
- Ciseaux

Décoration

- Papier de soie

Fabrication

1. Le corps:

Placer les feuilles doubles dans le sens de la largeur et en faire deux grands rouleaux. Plier un des rouleaux en deux, le placer à la verticale et attacher les deux côtés avec un cure-pipe à la hauteur du cou, de manière à laisser une ouverture pour la face. Croiser l'autre rouleau autour du premier à hauteur du cou et maintenir le tout avec un cure-pipe.

2. La face:

Façonner une petite boule de papier journal et la coller dans l'ouverture ménagée pour la face.

3. Le vêtement:

Tailler du tissu, y découper des franges et le coller sur le corps.
Couper le gobelet en deux pour fabriquer le chapeau. Utiliser la partie du fond, la décorer avec des languettes de papier de soie découpées ou déchirées, puis collées. Étendre de la colle à l'intérieur du gobelet et le fixer sur la tête. Fixer un bâton à l'aide d'un cure-pipe au dos de l'épouvantail, si on le désire.

Suggestion

On pourra se servir de laine ou de brindilles de paille pour décorer le chapeau et de morceaux de papier bricolage pour le vêtement.

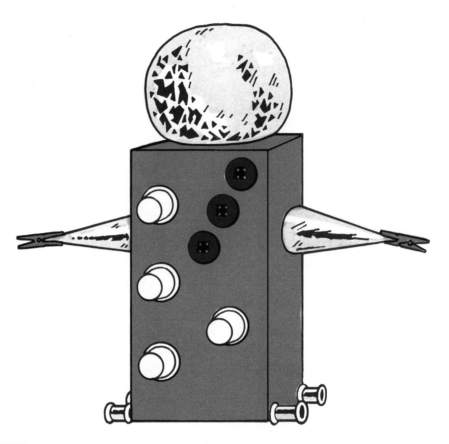

Bip ~ bip!
je ~ suis ~ un ~ ro ~ bot,
n'es ~ saie ~ pas ~ de ~ me ~ cha ~ touil ~ ler
ça ~ ne ~ me ~ fe ~ ra ~ pas ~ ri ~ go ~ ler.
Bip ~ bip!
je ~ suis ~ un ~ ro ~ bot,
tu ~ n'as ~ qu'à ~ me ~ de ~ man ~ der
ce ~ que ~ tu ~ veux ~ et ~ je ~ le ~ fe ~ rai.
Bip ~ bip!

■ Chaque enfant peut jouer à être le robot
d'un autre et adopter les positions qui lui sont
commandées. (*Jean dit...*)

ROBOT

Matériel

- 1 boîte en carton (mouchoirs de papier) de 23 cm x 11,5 cm x 9,5 cm
- 2 rouleaux de papier hygiénique
- Papier d'aluminium
- Papier journal
- Papier essuie-tout
- 4 bobines de fil
- 2 pailles en plastique
- 1 branchette
- Gouache
- Colle

Décoration

- 3 boutons à trous
- 4 godets de lait de 30 ml (format utilisé en restauration)
- 2 pinces à linge

Fabrication

1. Peindre la boîte; laisser sécher.

2. La tête:

Former une boule avec du papier journal et la recouvrir de papier d'aluminium.

3. Les bras:

Recouvrir les deux rouleaux de papier d'aluminium. Aplatir l'une de leurs extrémités et y fixer une pince à linge.

4. Installation des bobines:

Placer la boîte dans le sens de la hauteur.

Percer deux trous de chaque côté, à la base de la boîte, et y passer deux pailles de part en part.

Enfiler les bobines sur les pailles, replier les quatre bouts de celles-ci et insérer dans un trou des bobines.

5. Installation des bras:

Percer chaque côté de la boîte et y passer la branchette de telle façon qu'elle dépasse d'environ 5 cm de part et d'autre.

Coller du papier essuie-tout autour des extrémités de la branche.

Étendre de la colle à l'intérieur des deux rouleaux et les fixer à l'essuie-tout.

6. Décoration du corps:

Chiffonner des morceaux de papier essuie-tout et les coller à l'intérieur de chaque godet, en laisser dépasser un peu, y mettre de la colle et les fixer sur le devant de la boîte. Coller les boutons.

7. Installation de la tête:

Coller la boule sur le dessus de la boîte; bien laisser sécher.

Remarques

1. L'ouverture à l'arrière de la boîte facilitera l'installation des pailles et de la branchette.

2. La tête se compose surtout de papier journal afin d'économiser le papier d'aluminium.

LES ANIMAUX

e suis petite et je ne fais pas de bruit,
je vis partout, dans tous les pays.
Dans le sable ou sous une pierre,
je fais mon nid, c'est une fourmilière.
Un peu partout, quand vient l'été,
tu en rencontres des milliers.

Sais-tu qui je suis?
Mais oui,
c'est moi, la fourmi!

FOURMI

Matériel

- 1 récipient à couvercle en polystyrène (type *hamburger*)
- Papier de bricolage
- 4 cure-pipes de 30,5 cm
- Colle
- Ciseaux

Décoration

- Bouts de tissu

Fabrication

1. Ouvrir le récipient et le placer à l'envers.

2. Décoration de la fourmi:

Découper des motifs dans les bouts de tissu et les coller sur le corps.

3. Dessiner et découper les yeux dans du papier de bricolage, les coller sur la partie avant du récipient.

4. Couper trois cure-pipes en deux pour les pattes et les piquer de chaque côté du récipient, au centre.

5. Couper un cure-pipe en deux pour les antennes, les piquer sur le devant de la tête et recourber les bouts.

Remarque

Il est préférable de ne pas utiliser de peinture sur ce genre de récipient parce que celle-ci aura tendance à s'écailler. Un matériel léger et mince adhère mieux à cette surface.

Suggestion

Pour la décoration, on pourra utiliser du ruban fantaisie, des bouts de feutrine, des gommettes autocollantes ou des bouts de cure-pipes.

h! j'ai du travail, dit l'araignée,
car je dois tricoter des souliers
pour mes trois cents petits bébés.
Chaque bébé a huit pattes, vous savez.
Alors j'ai du travail, beaucoup de travail, dit l'araignée

ARAIGNÉE

Matériel
- Papier de soie
- 2 cure-pipes de 30,5 cm
- Colle
- Ciseaux

Fabrication

1. Les pattes:

Couper deux cure-pipes en leur milieu et plier ces quatre morceaux en deux pour déterminer le centre.
Placer deux morceaux de cure-pipe en croix, puis croiser les bouts du morceau du dessous sur celui du dessus de manière à les fixer ensemble et à conserver la forme d'une croix.

Rajouter les deux autres morceaux en suivant la même technique.
Terminer en courbant légèrement les pattes.

2. Le corps:

Chiffonner un morceau de papier de soie en boule et coller celle-ci au centre des pattes; bien laisser sécher.

Suggestion
Cette araignée pourra devenir géante si l'on emploie quatre cure-pipes entiers pour les pattes.

Le papillon, c'est un magicien, il se transforme, il se déguise.
D'abord, c'est un oeuf, puis une chenille.
La petite chenille se cache dans son cocon.
Quand elle en sort, elle ressemble à une mariée,
à une princesse ou à une fée.
Elle a des ailes toutes colorées.
On dirait une fleur qui vole.

Toi aussi tu te transformes comme le papillon.
Tu n'as pas fini de changer.
Avant d'être un enfant, tu as été un bébé.
Avant de naître, toi aussi tu as grandi dans une sorte de
cocon.

PAPILLON

Matériel
- Cellophane
- 2 cure-pipes

Décoration
- Gommettes autocollantes

Fabrication

1. Les ailes:

Découper un rectangle dans le cellophane, le placer dans le sens de la largeur et plisser le centre en rapprochant le haut et le bas.

2. Le corps et les antennes:

Placer les cure-pipes au centre des ailes, l'un par dessus et l'autre par dessous en laissant plus de longueur pour les antennes.
Tourner les deux extrémités du corps plusieurs fois.

3. Décorer le papillon avec des gommettes.

Remarque

Les gommettes autocollantes semblent être le matériel qui adhère le mieux au cellophane.

Suggestion

On pourra utiliser du papier de soie et du papier d'aluminium pour les ailes.

J'ai deux cornes et juste au bout
des yeux qui regardent partout.
Je laisse une trace derrière moi.
Si tu veux, suis-la.
Ma maison, c'est ma coquille.
Elle tourne comme une vrille.
Quand j'ai peur ou quand j'ai froid,
vite, je rentre sous mon toit.
Ni malin, ni sot,
c'est moi l'escargot.

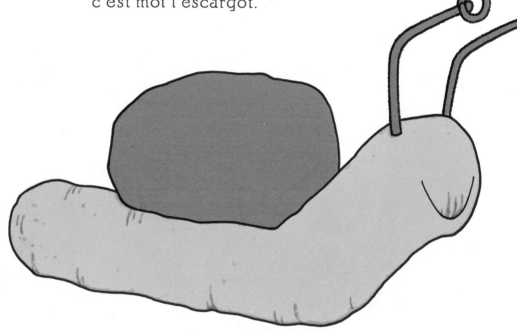

ESCARGOT

Matériel
- 2 chaussettes de longueurs différentes
- Papier journal
- 2 bouts de cure-pipe
- Colle
- Ciseaux

Fabrication

1. Le corps:

Bourrer la chaussette la plus grande avec du papier journal en laissant libre une partie de l'extrémité ouverte afin de la replier vers l'intérieur pour former la bouche.

2. La coquille:

Bourrer le pied de l'autre chaussette avec du papier journal.

Fermer la chaussette en procédant comme pour le corps; si la partie à replier est trop longue, la couper un peu.

3. Piquer deux bouts de cure-pipe sur le dessus de la tête pour simuler les cornes.

4. Tourner les bouts des cure-pipe pour simuler les yeux.

5. Fixer la coquille sur le corps en ayant soin d'appliquer beaucoup de colle; bien laisser sécher.

Remarque
Si les chaussettes sont de la même longueur, en couper une en deux pour faire la coquille.

**J**e suis lente et ça se comprend,
je porte une carapace et je peux vivre cent ans.
La seule chose que je n'aime pas trop,
c'est de me retrouver sur le dos.

TORTUE

Matériel

- 1 récipient à couvercle en polystyrène (type *hamburger*)
- Papier de bricolage
- Papier de soie
- Colle

Fabrication

1. Les parties du corps:

Fabriquer successivement et de la même manière la tête, les pattes et la queue, en roulant et en aplatissant du papier de soie pour assurer une meilleure adhérence lors du collage.

2. Assemblage:

La tête: ouvrir le récipient, étendre de la colle sur et sous une extrémité du papier de soie, l'insérer à l'endroit voulu et refermer le récipient en le maintenant quelques secondes.

Les pattes: coller l'extrémité de chaque patte sous chacun des coins du récipient.
La queue: coller celle-ci sous le rebord du récipient, à l'arrière.

3. Découper les yeux dans le papier de bricolage, les coller sur la tête de la tortue.

4. Déchirer et coller des morceaux de papier de bricolage pour décorer la carapace.

Remarque

Il est préférable de ne pas utiliser de peinture sur ce type de récipient parce qu'elle aura tendance à s'écailler. Un matériel léger et mince adhère mieux à cette surface.

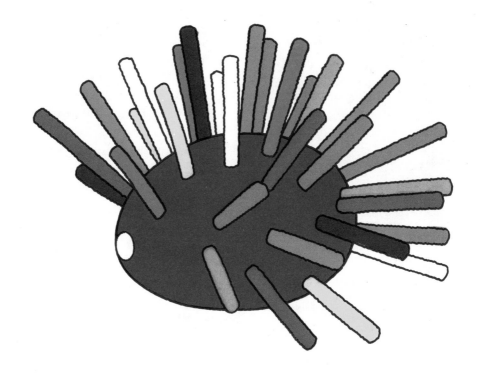

 **J**e suis Pic-Pic le hérisson.
Je ne suis pas doux comme le mouton
ni gourmand comme le cochon.
Je n'ai pas de plumes comme le dindon
ni de bec comme le pinson.
Je ne suis pas rapide comme le lion
ni fragile comme le papillon.
Je ne roucoule pas comme le pigeon.
Je n'ai pas de cornes comme le bison.
Mais avec mes piquants je suis dans le ton,
même qu'on me trouve plutôt mignon.

HÉRISSON

Matériel

- 1 petit morceau de papier de bricolage ou de feutrine
- Cure-pipes de différentes couleurs
- OEuf en polystyrène
- Gouache
- Colle
- Ciseaux

Fabrication

1. Le corps:
Peindre l'œuf et le laisser sécher.

Couper et piquer des cure-pipes dans l'œuf.

2. Découper le nez dans le papier de bricolage, le coller au bout de l'extrémité allongée de l'œuf.

Remarque

Pour les piquants, les cure-pipes ne sont pas dangereux, contrairement aux cure-dents, et sont beaucoup plus agréables au toucher.

Bê ~ bê !
Ce n'est pas pour me vanter, dit le mouton,
mais avec ma laine, on a fabriqué...
bê ~ bê !

      un tapis,
      deux couvertures,
      trois manteaux,
      quatre robes,
      cinq pantalons,
      six chandails,
      sept écharpes,
      huit gants,
      neuf bérets et
      dix paires de bas !
Bê ~ bê !

MOUTON

Matériel

- 1 alvéole de boîte à œufs
- 1 rouleau de papier hygiénique
- 2 cure-pipes de 30,5 cm et 2 fragments de cure-pipe
- Tampons d'ouate
- Gouache
- Colle
- Ciseaux

Fabrication

1. Peindre l'alvéole; laisser sécher.

2. Les pattes:

Entourer le rouleau d'un cure-pipe, tordre les deux brins sous le rouleau, puis écarter les bouts qui formeront les pattes avant. Suivre la même technique pour les pattes arrière.

3. Le corps:

Coller des tampons d'ouate sur tout le rouleau et aux deux extrémités.

4. Installation de la tête:

Coller des tampons d'ouate à l'intérieur de l'alvéole, puis coller celui-ci sur une extrémité du rouleau par dessus l'ouate.

5. Coller les fragments de cure-pipe à la place des yeux.

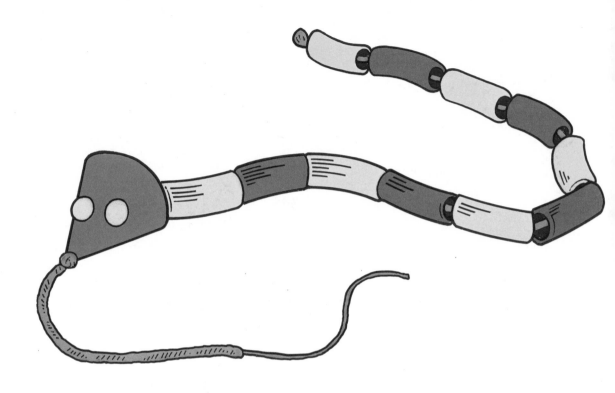

S

, s, s, tu changes de peau, toi?
Non? S, s, s, moi, j'en change au moins une fois
par an.
Eh oui! Je mue.
Quand ma vieille peau se détache, j'en ai déjà une aut
toute neuve en dessous.
S, s, s, ma peau, c'est comme un manteau,
quand je grandis, il devient trop petit.
Alors, je mue.
S, s, s, et j'ai un beau manteau tout neuf à la sortie!

SERPENT

Matériel

- 1 cornet de papier
- Morceaux de feutrine
- Pâtes alimentaires en forme de tubes courts, creux et légèrement coudés (*rigatonis*)
- Corde en jute
- Gouache
- Colle
- Ciseaux

Fabrication

1. La tête:

Couper le cornet en deux et sectionner la pointe pour pouvoir y passer la corde.

2. Peindre le cornet et les pâtes; laisser sécher.

3. Le corps:

Faire un nœud à un bout de la corde; enfiler d'abord les pâtes une à une, puis le cornet; terminer par un nœud.

4. Dessiner et découper les yeux dans la feutrine; les coller sur le cornet.

Remarques

1. Pour que le serpent soit mobile, il est préférable de ne pas enfiler trop serré les pâtes.

2. Laisser une longueur suffisante à la corde pour que l'enfant puisse promener le serpent.

**C**oucou!
C'est vrai que j'ai un long cou.
Je ne peux pas dire le contraire.
J'ai un très long cou.
Je suis le plus grand des animaux de la terre
avec ce long cou.
Ce n'est pas une mince affaire.
Imaginez combien de colliers il faudrait pour garnir tout ce long co
Imaginez le foulard qu'il faudrait pour couvrir tout ce long cou.
Il n'y a qu'un problème, mes amis,
c'est quand j'ai un mal de gorge ou un torticolis.
Mais grâce à ce long cou je peux voir très loin.
Je suis plutôt curieuse et ça me plaît bien.
Je pose ma tête sur une branche parmi les oiseaux.
Je grignote quelques feuilles quand il fait beau.
Ah! Je vous le dis,
c'est une belle vie!
Coucou!

GIRAFE

Matériel

- 1 boîte en carton (mouchoirs de papier) de 17 cm x 11,5 cm x 6,5 cm
- 4 rouleaux de papier hygiénique
- 1 rouleau d'essuie-tout en papier
- 1 cornet de papier
- Papier de bricolage brun
- Papier essuie-tout
- Gouache jaune
- Colle
- Ciseaux

Fabrication

1. Peindre en jaune la boîte, les rouleaux et le cornet; laisser sécher.

2. Le corps:

Pratiquer une petite ouverture dans la partie supérieure de la boîte, faire des entailles autour du trou avec les ciseaux et y insérer une extrémité du rouleau d'essuie-tout.

3. Installation des pattes:

Chiffonner du papier essuie-tout et en coller à l'intérieur d'une extrémité de chacun des petits rouleaux, en laisser dépasser un peu, y mettre de la colle et les fixer sous les quatre coins de la boîte.

4. Assemblage de la tête:

Chiffonner du papier essuie-tout et le coller à l'intérieur du cornet, en laisser dépasser un peu, y mettre de la colle et le fixer sur l'extrémité avant du cou.

5. Déchirer des bouts de papier de bricolage pour les taches et les coller sur le corps et les pattes.

6. Dessiner et découper les yeux dans du papier de bricolage, puis les coller sur la face de la girafe.

LES HABITATIONS

e bâtis ma maison. Tu bâtis ta maison.
Si tu places la tienne à côté de la mienne, nous serons voisins.
Si d'autres amis s'installent près de nous, nous ferons des rues
devant nos maisons.
Et avec une église, une école, une garderie, une banque,
un magasin, un parc et un garage,
ça ferait un joli village.
Et avec des édifices, des magasins, des autoroutes,
ça ferait une vraie ville.
Et avec d'autres villages et d'autres villes,
ça ferait peut-être tout un nouveau pays !

MAISONS

Matériel

- Cartons de lait ou de jus de différentes grandeurs
- Papier de bricolage
- Gouache
- Colle
- Ciseaux

Fabrication

1. Peindre les cartons; laisser sécher.

2. Les portes, fenêtres et cheminées:

Dessiner et découper ces éléments dans le papier de bricolage et les coller sur les maisons.

Ma maison, c'est un bateau.
Un joli petit bateau
qui flotte sur l'eau.

Elle s'en va et elle revient.
Elle ne va jamais bien loin
sur l'eau de mon bain.

MAISON FLOTTANTE

Matériel

- 1 plateau rectangulaire en polystyrène
- 5 pailles en plastique
- 1 grosse éponge synthétique
- 2 petits morceaux d'éponge de grosseurs différentes
- Crayon
- Ciseaux

Fabrication

1. Assemblage de la plate-forme:

Superposer les morceaux d'éponge au centre d'une des extrémités de la grosse éponge.
Perforer les trois éponges à l'aide d'un crayon et les maintenir ensemble en passant une paille dans le trou.
Couper l'excédent de paille à la longueur désirée.

2. Percer les quatre coins de la grosse éponge à l'aide d'un crayon et y introduire l'extrémité des quatre pailles.

3. Creuser des trous à l'aide des ciseaux et les agrandir avec les doigts; y déposer de petits personnages.

4. Assemblage du toit:

Percer des trous aux quatre coins du plateau, le placer à l'envers et y insérer l'autre extrémité des quatre pailles.

Il y a toutes sortes de maisons sur la terre.
Des petites, des grandes, des hautes, des basses.
Des maisons de brique, de bois, de béton.
Des maisons pour les pays chauds,
d'autres pour les pays froids.

La hutte est une petite maison construite avec
des branches ou de la terre.
Elle a un toit de paille.

Y a-t-il des huttes dans ton pays ?

HUTTE

Matériel

- 1 récipient rond en plastique (crème glacée)
- 1 cure-pipe de 30,5 cm
- Gouache
- Colle
- Ciseaux

Décoration

- Brindilles de paille

Fabrication

1. Tailler, en partant du bord du récipient, une ouverture qui servira d'entrée.

2. Peindre le récipient et le laisser sécher.

3. Décoration de la hutte:

Étendre des brindilles de paille, les attacher avec un cure-pipe par le milieu de manière à soulever celui-ci, encoller le fond du récipient placé à l'envers et y fixer les brindilles.

Suggestion

On pourra remplacer les brindilles de paille par des languettes de papier de bricolage découpé ou déchiré.

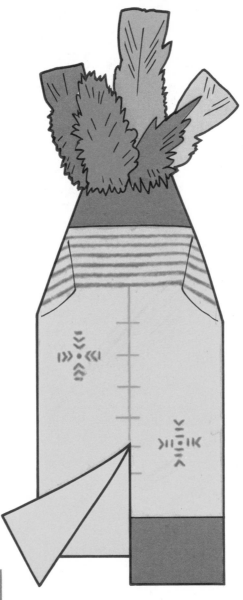

Wou ~ ou ~ ou ~ ou ~ ou !
Arc et flèches,
plumes sur la tête et collier au cou.

Hache de guerre et calumet de paix,
tam~tam et mocassins.
Voilà les Amérindiens !

Sais~tu comment ils vivent aujourd'hui ?
Sais~tu où ils habitent ?
As~tu déjà dormi sous la tente, dans la forêt ?

WIGWAM

Matériel

- 1 sac de papier kraft à fond rectangulaire
- Colle
- Ciseaux

Décoration

- Plumes et crayons de couleur

Fabrication

1. Mettre le sac à plat et décorer les deux côtés avec les crayons de couleur.

2. Plier les deux coins du fond du sac vers l'arrière et les coller.

3. Tailler une fente de quelques centimètres sur le devant du sac et en replier un coin vers l'extérieur.

4. Coller les plumes derrière la pointe du wigwam

Remarque

La peinture est à déconseiller, car elle fera gondoler le sac.

Suggestion

On pourra décorer le sac en le coloriant avec des crayons feutres.

Je suis un Inuk*.
Je vis dans un pays où il ne fait pas chaud.

Sais-tu comment dire «maison» dans ma langue?
C'est un petit mot facile à retenir: «igloo».
Un igloo, ce n'est pas une maison ordinaire de brique, de bois ou de béton. Non, non, non.
C'est une maison construite avec des blocs de neige. Pas de clou, pas de vis.
Saurais-tu construire un igloo, toi?

* Inuk est le véritable nom de l'«Esquimau».
Au pluriel: Inuit («Esquimaux»).

IGLOO

Matériel

- 1 récipient en plastique (margarine)
- 1 rouleau de papier hygiénique
- Papier essuie-tout
- Tampons d'ouate
- Colle
- Ciseaux

Fabrication

1. Couper le rouleau dans le sens de la longueur et l'entrouvrir.

2. Chiffonner l'essuie-tout, le coller à l'intérieur d'une extrémité du rouleau, le laisser dépasser un peu, y mettre de la colle et le fixer sur le côté du récipient déposé à l'envers.

3. Coller les tampons d'ouate sur le récipient et le rouleau.

Quand nous serons grands, si tu veux,
nous habiterons un très grand château.
Nous y mangerons de bons gros gâteaux,
nous y jouerons à cache-cache avec nos amis,
il y aura une chambre pour chacun de nos chats
et des bals costumés tous les soirs de l'année.
Nous mettrons des fleurs à chaque fenêtre
et des oiseaux dans chacune des tours.
Quand nous serons grands, si tu veux,
nous habiterons un très grand château.

Mais en attendant,
si tu veux, nous ferons une cabane
avec de vieux draps.
Nous y coucherons tous nos toutou
et nous parlerons
du temps où nous serons grands.

78

CHÂTEAU

Matériel

- 2 grandes boîtes de céréales de même dimension
- 4 rouleaux de différentes grandeurs (rouleaux de papier hygiénique, de papier essuie-tout, de papier d'emballage)
- 4 cornets de papier
- Carton bristol blanc
- Papier essuie-tout
- Gouache
- Colle
- Ciseaux

Décoration

- Ruban fantaisie

Fabrication

1. Tailler sur l'une des surfaces principales de chaque boîte une ouverture assez grande pour y introduire petits bonshommes, mobilier ou autos miniatures.

2. Dessiner et découper les fenêtres dans le carton bristol.

3. Coller les deux boîtes dos à dos; laisser sécher.

4. Peindre les deux boîtes collées, les quatre rouleaux, les quatre cornets et les fenêtres; laisser sécher.

5. Les tours:

Chiffonner du papier essuie-tout et en coller à l'intérieur d'une extrémité de chaque rouleau, le laisser dépasser un peu, y mettre de la colle et fixer les cornets. Bien laisser sécher.

6. Décorer le château et les tours avec du ruban fantaisie et coller les fenêtres.

7. Coller les tours aux quatre coins du château en procédant comme pour les cornets

Suggestions

1. Pour la décoration, on pourra utiliser de la dentelle ou du cordonnet de couleur.

2. Les boîtes pourront être petites ou grosses et de dimensions différentes, selon les goûts.

LES BÂTIMENTS

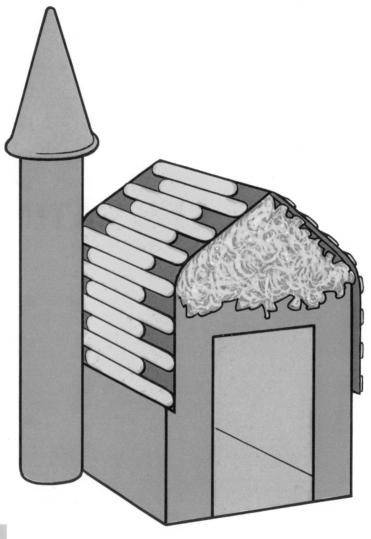

Il y a un garde-manger* dans ta maison.
Que met-on dedans ?

Bê - bê, meu - meu, cot - cot - cot !
Les animaux de la ferme ont aussi leur garde-manger.
C'est la grange et le silo.
Que met-on dedans ?

* Armoire au placard dans lesquels on
conserve des produits alimentaires.

GRANGE

Matériel

- Gouache
- Colle
- Ciseaux

Pour la grange

- 1 boîte en carton (mouchoirs de papier) de 14 cm x 11,5 cm x 11,5 cm
- Feuille de papier de bricolage

Décoration

- Bâtonnets plats
- Brindilles de paille

Pour le silo

- 1 rouleau de papier essuie-tout
- 1 cornet de papier
- Papier essuie-tout

Fabrication

1. La porte de la grange:

Tailler la porte dans la boîte si celle-ci n'a pas d'ouverture préperforée.

2. Peindre la boîte, le rouleau et le cornet; laisser sécher.

3. Le toit:

Placer la feuille de papier de bricolage dans le sens de la longueur et la plier au centre dans le sens de la largeur. Ouvrir la feuille et la décorer avec des bâtonnets collés dans le sens du pli. Disposés de cette façon, les bâtonnets ne feront pas obstacle à l'installation du toit.

4. Installation du toit:

Coller la feuille sur chaque côté de la boîte en ménageant un espace sur le dessus pour le grenier.
Insérer des brindilles de paille dans l'ouverture.

5. Le silo:

Chiffonner du papier essuie-tout et le coller à l'intérieur d'une extrémité du rouleau, le laisser dépasser un peu, y mettre de la colle et y fixer le cornet.

Suggestion

Des morceaux d'écorce pourront servir à la décoration du toit et on pourra remplacer les brindilles de paille par des languettes de papier déchiré.

**T**ournent, tournent les ailes du moulin !
Tournent, tournent jusqu'à demain matin.
La meule écrase nos grains.
Avec la farine, on fera du pain.

Les moulins sont jolis même s'ils ne servent plus beaucoup.
Ils balancent leurs grandes ailes dans le vent
mais ils ne s'envolent pas, bien sûr !
As-tu déjà vu un vrai moulin ?
Avec la farine, on fait le pain. Sais-tu ce qu'on peut
faire d'autre ?

MOULIN À VENT

Matériel

- 1 rouleau de papier hygiénique
- 1 cornet de papier
- Papier de bricolage
- Papier essuie-tout
- Cure-pipe de 30,5 cm
- Gouache
- Colle
- Ciseaux

Fabrication

1. Peindre le rouleau et le cornet; laisser sécher.

2. Les ailes:

Couper le cure-pipe en quatre parties égales et piquer une extrémité de chaque partie dans le cornet en formant une croix.

3. Le moulin:

Chiffonner du papier essuie-tout et le coller à l'intérieur d'une extrémité du rouleau, le laisser dépasser un peu, y mettre de la colle et poser le cornet.

4. Découper la porte dans le papier de bricolage, la coller sur le rouleau.

Suggestion

On pourra peindre la porte directement sur le rouleau.

Flouc !

Je suis la grosse baleine.

De temps en temps, je vais me promener dans le fleuve.

À chaque fois, je m'empresse de saluer le gardien de phare.

J'envoie en l'air un long jet d'eau pour lui dire bonjour.

Il est très sympathique, le gardien de phare.

Il me regarde de loin, gentiment.

Il ne pêche pas, lui.

C'est un ami.

Il surveille les bateaux, il parle aux oiseaux.

La nuit, la lumière de son phare guide les navires.

C'est comme une veilleuse dans le noir.

Grâce à elle, mes petits s'endorment tranquillement.

Flouc !

Je suis la grosse baleine, l'amie du gardien de phare.

PHARE

Matériel

- 1 récipient en plastique (crème glacée)
- 2 cornets de papier
- 1 gobelet en plastique transparent
- Carton bristol
- Papier de soie
- Papier essuie-tout
- Gouache
- Colle
- Ciseaux

Fabrication

1. Le toit:

Ouvrir les deux cornets en les coupant de la base à la pointe, les coller ensemble de façon à obtenir un grand cône.

2. Peindre le récipient et le grand cône; laisser sécher.

3. Le garde-fou:

Tailler dans le carton une bande assez longue pour contourner le fond du récipient placé à l'envers, la coller en laissant dépasser une partie du carton au-dessus du récipient.

4. Installation du toit:

Chiffonner du papier essuie-tout, le coller au fond du cône et le fixer sur la base du gobelet qui sert de cabine d'observation.

5. La lumière:

Former une boule avec le papier de soie et la coller sur la pointe du cône.

6. Déposer la cabine sur le récipient.

Remarque

Puisque le gobelet n'est pas fixé au récipient, il est possible d'installer de petits personnages à l'intérieur.

Je grimpe au sommet du gratte-ciel
pour savoir s'il gratte le ciel.

Mais le ciel est bien plus haut.
Qu'est-ce qu'on peut voir de là-haut ?

Des sauterelles,
des hirondelles.

Des moineaux,
des bateaux.

Des autos,
des motos.

Qui habite le gratte-ciel ?
Pour qui la vue est-elle belle ?

Qui vit là-dedans,
une girafe ou un géant ?

GRATTE-CIEL

Matériel

- 1 petite boîte en carton (mouchoirs de papier)
- 1 grosse boîte de biscuits
- 1 boîte à sachets de tisane
- 1 boîte de tube dentifrice
- Carton bristol ou papier de bricolage
- Gouache
- Colle
- Ciseaux

Fabrication

1. Peindre les quatre boîtes; laisser sécher.

2. Découper la porte et les fenêtres dans le carton bristol ou le papier de bricolage, les coller sur les boîtes.

3. Assemblage du gratte-ciel:

Coller les boîtes en les superposant par ordre décroissant, la plus large servant de base.

Du haut de ma tour,
je guette les alentours.
Ni gros loup ni dragon,
pas d'ennemi à l'horizon.

FORTERESSE

Matériel

- 5 boîtes à œufs
- 4 alvéoles de boîte à œufs
- 4 rouleaux de papier hygiénique
- Papier essuie-tout
- Gouache
- Colle
- Ciseaux

Fabrication

1. Couper dix groupes de quatre alvéoles dans les boîtes à œufs.

2. Peindre les alvéoles et les rouleaux; laisser sécher.

3. Les murs:

Placer deux groupes de quatre alvéoles à la verticale. Prendre deux autres groupes d'alvéoles, chiffonner de l'essuie-tout et en coller à l'intérieur des quatre coins, le laisser dépasser un peu, y mettre de la colle et fixer à l'horizontale sur les deux premiers groupes. Poursuivre ainsi le montage.

4. Les tours:

Chiffonner du papier essuie-tout et en coller à l'intérieur d'une extrémité de chaque rouleau, le laisser dépasser un peu, y mettre de la colle et fixer les quatre alvéoles.

5. Installation des tours:

Se servir de papier essuie-tout pour coller les tours aux quatre coins de la forteresse.

Suggestion

Selon les dimensions désirées, on pourra employer des groupes de trois, cinq ou six alvéoles pour la fabrication des murs.

LES MOYENS
DE TRANSPORT

Broum, broum !
Plus que le dos
d'un chameau,
qu'un radeau,
qu'un bateau,
ou qu'une moto

moi, ce que je préfère
pour faire le tour de la Terre,

c'est l'auto.

Broum, broum !

AUTOMOBILE

Matériel

- Boîte de 23 cm x 11,5 cm x 5 cm
- 1 récipient carré en polystyrène
- 1 rouleau de papier hygiénique
- Papier essuie-tout
- Carton bristol ou papier de bricolage
- Gouache
- Colle
- Ciseaux

Décoration

- Carton bristol

Fabrication

1. Les quatre roues:

Couper le rouleau en quatre parties égales de façon à obtenir quatre petits cylindres.

2. Peindre la boîte et les quatre cylindres; laisser sécher.

3. Installation du toit:

Chiffonner du papier essuie-tout et en coller à l'intérieur des quatre coins de la boîte, le laisser dépasser un peu, y mettre de la colle et le fixer sur la boîte.

4. Les portes, fenêtres et phares:

Dessiner et découper ces pièces dans le bristol ou le papier, les coller sur l'auto.

5. Installation des roues:

Coller les quatre roues sous la boîte.

Suggestion

On pourra peindre directement les portes, les fenêtres et les phares sur la cabine même, au lieu de les découper.

Broum!
Mon camion est long et lourd, il fait du bruit en roulant.
Dans mon camion je vois loin, j'ai l'impression d'être grand.

Mon gros camion peut transporter
tout ce que vous voulez.

Des matelas, des réfrigérateurs,
des sofas, des téléviseurs
et même un gros tracteur.

Du sable, de la terre,
du gazon pour le parterre,
du gravier et des pierres.

Des marchandises pour les grands magasins
et des milliers de petits poussins.

CAMION DE TRANSPORT

Matériel

- 1 boîte à chaussures avec couvercle
- 1 boîte en carton (mouchoirs de papier) de 14 cm x 11,5 cm x 11,5 cm
- 3 rouleaux de papier hygiénique
- 1 cure-pipe
- Gouache
- Colle
- Ciseaux

Décoration

- Carton bristol

Fabrication

1. Préparation de l'assemblage du camion :

Percer deux trous à une extrémité de la boîte à chaussures et deux autres dans un des côtés de l'autre boîte, en ayant soin de placer l'ouverture de celle-ci vers le bas. Pratiquer ces ouvertures avec symétrie de façon à pouvoir, par la suite, attacher le tracteur à la semi-remorque.

2. Les douze roues :

Couper chacun des trois rouleaux en quatre parties égales de façon à obtenir douze petits cylindres.

3. Peindre les deux boîtes, le couvercle et les douze rouleaux ; laisser sécher.

4. Les portières, le pare-brise et les phares :

Dessiner et découper ces pièces dans le carton bristol, les coller sur la cabine.

5. Installation des roues :

Coller huit roues sous la boîte à chaussures et quatre roues sous l'autre boîte.

6. Assemblage du camion :

Attacher ensemble les deux boîtes en passant un cure-pipe dans les quatre trous et en repliant les bouts.

7. Déposer le couvercle sur la boîte à chaussures.

Remarque

Attacher les deux boîtes sans trop serrer pour que la semi-remorque reste mobile.

Suggestion

On pourra peindre les portières, le pare-brise et les phares sur le tracteur au lieu de les découper, ou encore utiliser du papier de bricolage.

Tchou - Tchou !

Je rêve de faire un long voyage,
un long voyage en train.
Je veux aller au bout du monde
pour savoir si la terre est ronde.

Tchou - Tchou !

C'est très pratique le train.
Je peux manger dans le wagon-restaurant et dormir dans le wagon-l
Pour passer le temps, je peux dessiner, m'amuser à faire un casse-tê
ou parler avec les autres voyageurs.

Tchou - Tchou !

Mais ce que je préfère, c'est regarder par la fenêtre
les vaches qui regardent passer les trains.
Elles rêvent peut-être qu'elles font un long voyage,
qu'elles s'en vont au bout du monde
pour savoir si la terre est ronde.

WAGON FOURRE-TOUT

Matériel

- 1 boîte en carton (mouchoirs de papier) de 23 cm x 11,5 cm x 9,5 cm
- Récipient plat en carton comprimé de 25,5 cm x 13,5 cm
- 2 rouleaux de papier hygyénique
- Carton bristol blanc
- Gouache
- Colle
- Ciseaux

Fabrication

1. Les fenêtres et les portes:

Dessiner et découper ces pièces dans le carton bristol.

Découper, si nécessaire, une ouverture sur l'un des grands côtés de la boîte.

2. Les huit roues:

Couper chacun des deux rouleaux en quatre parties égales pour obtenir huit petits cylindres.

3. Peindre la boîte, le récipient, les fenêtres, les portes et les huit cylindres; laisser sécher.

4. Placer l'ouverture de la boîte vers le haut, coller les fenêtres et les portes autour de la boîte.

5. Installation des roues:

Coller les huit cylindres deux à deux, puis ensuite sous la boîte.

6. Déposer le récipient à l'envers sur le wagon afin qu'il serve de toit amovible.

Tire, tire le traîneau
jusqu'en haut.

Glisse, glisse et tiens-toi droit
jusqu'en bas.

Vire, vire
et chavire.

Dans la neige, je culbute.
Oh la la! Quelle chute!

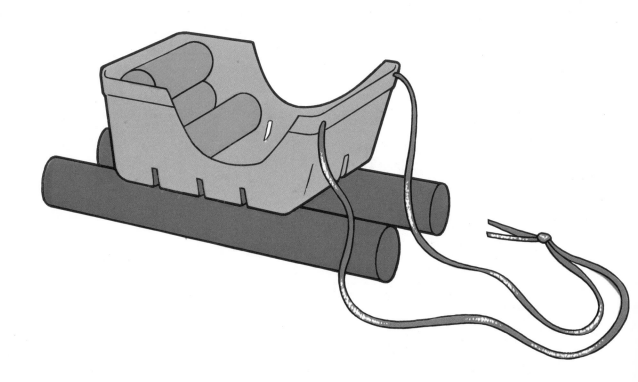

TRAÎNEAU

Matériel
- 1 récipient en carton comprimé de 20 cm x 16,5 cm
- 3 rouleaux de papier hygiénique
- 2 rouleaux de papier essuie-tout
- Gouache
- Colle
- Ciseaux

Décoration
- Cordonnet

Fabrication
1. Le traîneau:

Découper une ouverture d'accès de chaque côté du récipient.

2. Peindre le récipient et les cinq rouleaux; laisser sécher.

3. Le siège:

Coller les trois petits rouleaux à l'intérieur du récipient en superposant les deux du fond.

4. Installation des patins:

Coller les deux grands rouleaux sous le récipient.

5. Percer deux trous à l'avant du traîneau afin d'y passer un cordonnet assez long pour que l'enfant puisse le tirer.

Remarque
Les ouvertures sont facultatives (selon l'âge et l'habileté de l'enfant).

Un hélicoptère
survole la Terre.
Tourne, tourne et tourne encore
ses grands bras jusqu'au pôle Nord.
Ses grands bras, c'est une hélice
qui, dans l'air, glisse et glisse.

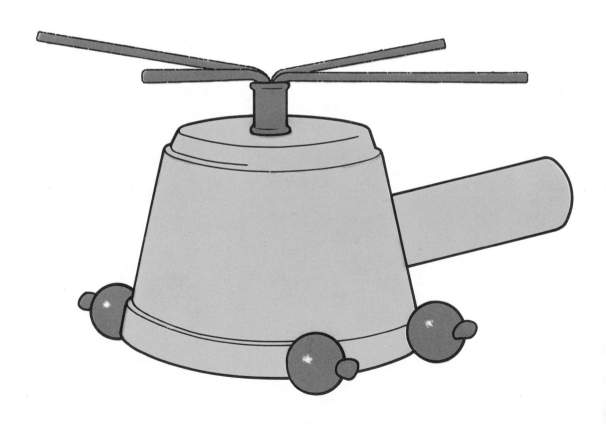

HÉLICOPTÈRE

Matériel

- 1 récipient rond en polystyrène
- 1 rouleau de papier hygiénique
- Papier essuie-tout
- 4 cure-pipes de 30,5 cm
- 1 bobine de fil
- 4 billes en bois perforées
- Gouache
- Colle
- Ciseaux

Fabrication

1. Peindre le récipient, le rouleau et la bobine; laisser sécher.

2. Les hélices:

Placer le récipient à l'envers et percer le centre.
Couper deux cure-pipes en deux, prendre une extrémité de chacun et les tourner ensemble pour les attacher.

Insérer cette partie des cure-pipes dans la bobine, puis dans le trou du récipient, replier les bouts à l'intérieur.

3. Installation de la queue:

Chiffonner du papier essuie-tout et le coller à l'intérieur d'une extrémité du rouleau, en laisser dépasser un peu, y mettre de la colle et le fixer sur la paroi du récipient.

4. Installation des roues:

Percer deux trous dans chaque côté du récipient: deux vers l'avant et deux vers l'arrière.
Insérer un cure-pipe de part en part dans les deux trous de devant.
Enfiler une bille de chaque côté et replier les deux extrémités du cure-pipe.
Procéder de la même manière pour les roues arrière.

LA COMMUNICATION

Attention! mesdames, messieurs,
le spectacle va commencer!

Une pirouette,
une galipette.

Une chanson,
un rigodon.

Un tour de magie
et c'est fini!

Attention! mesdames, messieurs,
le spectacle est terminé!

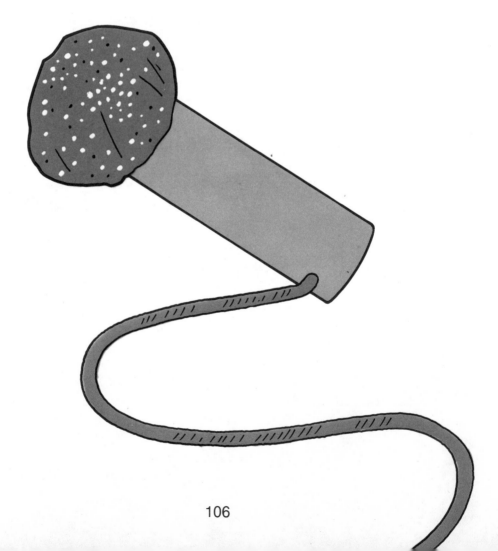

MICRO

Matériel

- 1 rouleau de papier hygiénique
- Papier journal
- Papier essuie-tout
- Ficelle
- Gouache
- Colle

Décoration

- Paillettes minuscules

Fabrication

1. Le micro:

Façonner le papier journal en boule, coller les bouts; laisser sécher.

2. Peindre le rouleau et le micro; saupoudrer celui-ci de quelques paillettes.

3. Le boîtier:

Chiffonner l'essuie-tout et le coller à l'intérieur d'une extrémité du rouleau, le laisser dépasser un peu, y mettre de la colle et fixer le micro.

4. Installation de la ficelle:

Perforer le bord de l'autre extrémité du rouleau et y passer la ficelle.
Nouer la ficelle à l'intérieur.

Suggestion

On pourra fabriquer le micro avec un rouleau de papier essuie-tout.

Oyez, oyez!
C'est ma fête samedi et vous êtes invités.

Oyez, oyez!
Grande vente de limonade sur la rue d'à côté.

Oyez, oyez!
Sauts en hauteur et courses sur un pied.

Oyez, oyez!
Spectacle de marionnettes et bal costumé.

Oyez, oyez!

PORTE-VOIX

Matériel

- 2 rouleaux de papier hygiénique
- Papier essuie-tout
- 1 chapeau de fête en carton
- Gouache
- Colle
- Ciseaux

Fabrication

1. Peindre les deux rouleaux; laisser sécher.

2. Fabrication de la poignée:

Chiffonner l'essuie-tout, le coller à l'intérieur de l'extrémité d'un rouleau, le laisser dépasser un peu, y mettre de la colle et le fixer sur le côté de l'autre rouleau, près du bord. Laisser sécher.

3. Le porte-voix:

Couper la pointe du chapeau afin d'y insérer la partie la plus longue et non obstruée du rouleau.

Remarque

Ce type de chapeau pourra être recueilli lors d'une fête enfantine.

Allô, allô! C'est toi, Albert?

— Non, non, c'est Claire.
Je suis cachée derrière
la grosse soupière.

— Allô, allô! C'est toi, Julie?
— Non, non, c'est Sophie.
Je suis cachée ici
juste sous le lit.

— Allô, allô! C'est toi, Martin?
— Non, non, c'est le lutin.
Je suis caché très loin
au fond du jardin.

ÉMETTEUR-RÉCEPTEUR PORTATIF (*TALKIE-WALKIE*)

Matériel

- 2 récipients en carton comprimé
- Papier essuie-tout
- 1 cure-pipe
- 1 boule en polystyrène
- 2 boutons à trous
- 1 couvercle

Fabrication

1. Peindre les 2 récipients et la boule; laisser sécher.

2. L'émetteur-récepteur:

Chiffonner du papier essuie-tout, en coller à l'intérieur d'un récipient et en laisser dépasser un peu.
Mettre de la colle sur le surplus de l'essuie-tout et les rebords du récipient, puis y fixer l'autre récipient. Tenir ainsi quelques secondes.

3. Assemblage du couvercle:

Chiffonner du papier essuie-tout et le coller à l'intérieur du couvercle de façon à le remplir.
Encoller ensuite et fixer sur le récipient.

4. Coller les deux boutons sous le couvercle.

5. L'antenne:

Piquer une extrémité du cure-pipe dans la boule et coller le cure-pipe sur le côté de l'émetteur-récepteur.

Suggestion

Des couvercles de boîtes à œufs pourront servir à réaliser ce bricolage.

llô, allô ! l'Angleterre ?

— Good morning !

— Allô, allô ! l'Italie ?
— Buon giorno !

— Allô, allô ! l'Espagne ?
— Buenos días !

— Allô, allô ! l'Allemagne ?
— Guten Morgen !

— Allô, allô ! le Portugal ?
— Bom dia !

— Allô, allô ! c'est moi !
— Ah ! Bonjour toi !

TÉLÉPHONE

Matériel

- 1 boîte en carton (mouchoirs de papier) de 23 cm x 11,5 cm x 5 cm
- 1 rouleau de papier hygiénique
- 1 rouleau de papier essuie-tout auquel on enlève 10 cm
- 2 cornets de papier
- Carton briston
- Papier essuie-tout
- Gouache
- Colle
- Ciseaux

Fabrication

1. Couper le rouleau de papier hygiénique en deux morceaux. Ils serviront de support au combiné microphone-récepteur.

2. Découper les cornets en deux et réserver les parties ouvertes pour le combiné.

3. Peindre la boîte, les rouleaux et les cornets; laisser sécher.

4. Le boîtier:

Placer la boîte à plat dans le sens de la longueur et coller les deux petits rouleaux côte à côte sur le bout de la boîte, au centre.
Tailler douze petits morceaux de carton pour le clavier.
Coller ces pièces sur le boîtier, en face du support du combiné.

5. Le combiné:

Chiffonner du papier essuie-tout et en coller à l'intérieur de la partie réservée des deux cornets, en laisser dépasser un peu, y mettre de la colle et fixer les pièces près des extrémités du plus grand rouleau.

Suggestion

On pourra utiliser des gommettes autocollantes pour simuler le clavier.

Tourne le bouton.
J'entends des sons,
des nouvelles d'ici
et d'autres pays

Tourne le bouton.
J'entends des sons,
de la musique pour bouger,
pour sauter et danser.

Tourne le bouton.
J'entends des sons,
le prix du savon,
des annonces de bonbons.

Tourne le bouton.
J'entends des sons,
il fera chaud,
il fera beau.

Tourne le bouton.
J'entends des sons.

C'est une chanson.
Petit patapon.

J'écoute encore
et puis je m'endors.

RADIO

Matériel

- 1 boîte de céréales de grandeur moyenne
- 2 récipients carrés en polystyrène
- Papier essuie-tout
- 1 cure-pipe
- 1 boule en polystyrène
- 4 boutons à trous
- 3 bouchons en plastique
- Gouache
- Colle
- Ciseaux

Fabrication

1. Peindre la boîte et la boule; laisser sécher.

2. Les haut-parleurs:

Découper le fond déjà perforé des deux récipients et les coller sur le devant de la boîte.

3. Installation des boutons de contrôle:

Encoller l'intérieur de chaque bouchon, les remplir de papier essuie-tout chiffonné, encoller à nouveau et fixer bouchons et boutons sur le dessus de la boîte.

4. L'antenne:

Piquer un bout de cure-pipe dans la boule et coller le cure-pipe sur le côté de la boîte.

Suggestion

On pourra utiliser des boîtes d'autres grandeurs.

LA SÉCURITÉ

Quand on fait des travaux dangereux,
vite, il faut protéger ses yeux.
Il faut être très prudent,
car les yeux, c'est très important.

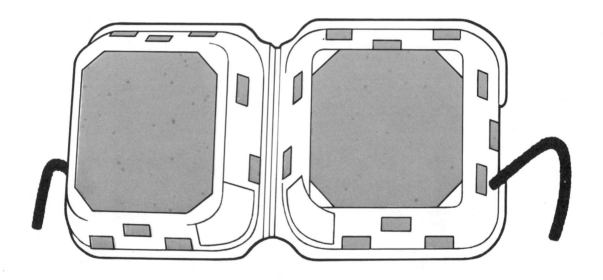

Connais-tu des métiers dangereux pour les yeux?
Y a-t-il des objets dangereux pour tes yeux?
Comment protèges-tu tes yeux du soleil?
Que préfères-tu regarder?
De quelle couleur sont tes yeux?

■ Jeu de l'aveugle: un enfant a les yeux
bandés, il essaie d'identifier les autres enfants
par le son de leur voix ou en les touchant.

118

LUNETTES DE PROTECTION

Matériel

- 1 récipient à couvercle en polystyrène (type *hamburger*)
- 2 cure-pipes
- Colle
- Ciseaux

Décoration

- Papier de bricolage

Fabrication

1. Les lunettes:

Ouvrir le récipient et tailler deux grandes ouvertures pour les yeux.

2. Décoration des lunettes:

Découper ou déchirer le papier de bricolage et le coller sur le pourtour des lunettes.

3. Installation des branches:

Piquer un cure-pipe de chaque côté des lunettes et recourber les extrémités libres.

Remarque

Il est préférable de ne pas utiliser de peinture sur ce genre de récipient parce que celle-ci aura tendance à s'écailler. Un matériel léger et mince adhère mieux à cette surface.

Suggestion

Pour la décoration, on pourra remplacer le papier de bricolage par du papier de soie, du tissu ou des gommettes autocollantes.

 **P**our un petit feu facile à maîtriser,
l'extincteur peut nous aider.

Mais pour un gros feu, vite il faut appeler...
Qui ça?
Les pompiers!

EXTINCTEUR

Matériel

- 1 cruchon en plastique avec bouchon (eau de Javel)
- 1 gobelet en polystyrène
- Corde
- 2 billes en bois perforées
- Gouache
- Colle
- Ciseaux

Décoration

- Gouache
- Papier blanc

Fabrication

1. Couper le gobelet en deux et réserver la partie inférieure. Découper ensuite la base du demi-gobelet et tailler le haut de façon décorative.

2. Peindre le cruchon et le demi-gobelet; laisser sécher.

3. Déposer le demi-gobelet autour du bouchon.

4. Décoration de l'extincteur:

Peindre des flammes sur le papier et laisser sécher. Découper les flammes et les coller sur le cruchon.

5. Installation de la corde:

Enfiler les deux billes sur la corde et les fixer chacune par un nœud à une seule extrémité.
Attacher l'autre extrémité de la corde au bas de l'anse du cruchon.

Suggestion

On pourra peindre les flammes directement sur le cruchon.

Pin - Pon!
On pense que je ne sers à rien,
                                rien, rien,
seuls les chiens s'occupent de moi
et je sais bien pourquoi.

Si un jour il y a un feu,
                feu, feu,
tous les gens seront ravis
que je sois encore ici.

Pin - pon!
Que suis-je ?

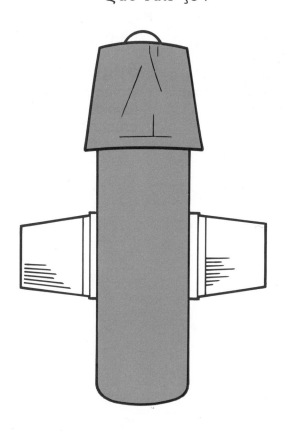

BOUCHE D'INCENDIE

Matériel

- 1 alvéole de boîte à œufs
- 2 godets de lait de 30 ml (format utilisé en restauration)
- 1 rouleau de papier hygiénique
- Papier essuie-tout
- 1 bouton à trous
- Gouache
- Colle

Fabrication

1. Peindre le rouleau et l'alvéole; laisser sécher.

2. La bouche d'incendie:

Chiffonner du papier essuie-tout et le coller à l'intérieur d'une extrémité du rouleau, le laisser dépasser un peu, encoller et fixer à l'alvéole. Remplir les deux godets de papier essuie-tout préalablement encollé et procéder comme précédemment; maintenir quelques secondes en place. Coller le bouton sur le sommet de l'alvéole.

**B**roum, broum !

Tût, tût !

Feu vert, vous pouvez avancer !

Broum, broum !

Tût, tût !

Feu jaune ou orange, il ne faut pas vous presser !

Broum, broum !

Tût, tût !

Feu rouge, arrêtez !

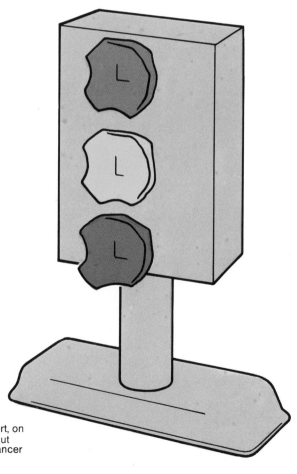

■ Jeu des feux de circulation : au feu vert, on peut courir ; au feu jaune ou orange, il faut marcher lentement. L'enfant surpris à avancer quand le feu est rouge doit retourner à la ligne de départ. Ce sont les premiers à la ligne d'arrivée qui gagnent la partie.

FEUX DE CIRCULATION

Matériel

- 1 boîte en carton (mouchoirs de papier) de 16,5 cm x 11,5 cm x 5,5 cm
- 1 récipient en carton comprimé
- 3 alvéoles de boîte à œufs
- 1 rouleau de papier essuie-tout
- Gouache
- Colle
- Ciseaux

Fabrication

1. Peindre la boîte, le rouleau, le récipient et les trois alvéoles; laisser sécher.

2. Pratiquer une petite ouverture à un bout de la boîte, faire des entailles autour du trou avec les ciseaux et y insérer le rouleau.

3. Coller les alvéoles sur la boîte dans le bon ordre: rouge en haut, jaune ou orange au milieu et vert en bas.

4. Placer le récipient à l'envers, percer le centre en procédant comme pour la boîte, y insérer l'autre extrémité du rouleau.

DANS LA NATURE

J 'ai cueilli
trois pissenlits
pour mon ami.

Des lilas
pour grand-papa.

Des violettes
pour Ginette.

Des pensées
pour Renée.

Des tulipes
pour Philippe.

Des pivoines
pour Suzanne.

Des chardons
pour Yvon.

Des pétunias
pour papa.

Des églantines
pour Francine.

J'ai cueilli
trois pissenlits
pour mon ami.

FLEURS

Matériel

- 1 boîte en carton
- 2 boules et 1 œuf en polystyrène
- Pâtes alimentaires en forme de petits tubes creux, aux extrémités taillées en biseau («petites plumes» ou *pennine*)
- 3 pailles en plastique
- Gouache

Fabrication

1. Peindre les boules, l'œuf, les pâtes et la boîte; laisser sécher.

2. Les fleurs:

Piquer des pâtes dans chaque forme de polystyrène pour les pétales; utiliser les pailles pour les tiges.

3. Déposer les fleurs dans la boîte.

Remarque

Il est préférable d'employer ce type de pâtes alimentaires à cause de leurs extrémités biseautées, en forme de bec de plume.

Dans un arbre, j'ai fait ma maison.
C'est un nid, dit le pinson.

Dans un arbre couvert de feuilles,
je suis bien, dit l'écureuil.

Sur une branche de pommier,
j'ai tissé ma toile, dit l'araignée.

J'ai fait ma cabane dans un érable.
Elle est belle et confortable.

Pour venir me visiter,
jusqu'en haut, il faut grimper.

ARBRE

Matériel

- 1 récipient en carton comprimé
- 1 rouleau de papier hygiénique
- Papier essuie-tout
- Gouache
- Colle
- Ciseaux

Décoration

- Feuilles d'arbre

Fabrication

1. Pratiquer une petite ouverture dans le centre du récipient et faire des entailles autour du trou avec les ciseaux. Cette base servira de support à l'arbre.

2. Peindre le récipient et le rouleau; laisser sécher.

3. L'arbre:

Chiffonner des boules de papier essuie-tout et les coller autour d'une extrémité du rouleau jusqu'à ce que l'on obtienne la dimension désirée.

4. Assemblage de l'arbre:

Insérer l'autre extrémité du rouleau dans l'ouverture du récipient placé à l'envers.

5. Décoration de l'arbre:

Ramasser des feuilles et des branchettes; les coller sur les boules de papier essuie-tout et sur la base.

Suggestion

Des fleurs fraîches ou séchées pourront servir de décoration.

**D**es beaux légumes, il y en a beaucoup.
De toutes les couleurs et de tous les goûts !
C'est un plaisir de les cultiver,
car ils sont bons pour la santé.

Navets, carottes, oignons, persil,
haricots, laitues, choux, céleris,
concombres, betteraves, maïs, radis,
pois, choux-fleurs, poivrons, brocolis.

Du soleil, de l'engrais et de l'eau...
mes légumes seront beaux et gros.

JARDIN POTAGER

Matériel

- 1 grand morceau de polystyrène
- Bâtonnets plats
- Dépliants publicitaires
- Gouache
- Colle
- Ciseaux

Fabrication

1. Casser les bâtonnets à des longueurs différentes.

2. Peindre le polystyrène et les bâtonnets; laisser sécher.

3. Découper des photos de légumes dans les dépliants et les coller sur les extrémités des bâtonnets.

4. Le jardin potager:

Regrouper les mêmes variétés de légumes et les piquer dans le polystyrène en formant des rangées.

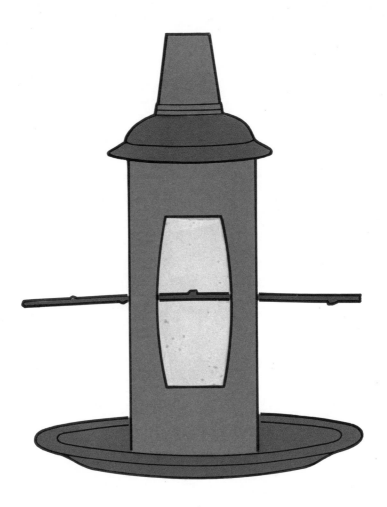

Cui, cui !
Ma mangeoire,
c'est comme un hôtel
pour les hirondelles.

Cui, cui !
Ma mangeoire,
c'est comme un restaurant.
J'ai mis des graines dedans.

MANGEOIRE

Matériel

- 1 grande assiette en carton rigide
- 1 assiette profonde en carton rigide
- 1 boîte en carton (mouchoirs de papier) de 23 cm x 11,5 cm x 9,5 cm
- 1 gobelet en polystyrène
- Papier essuie-tout
- 1 branchette
- Gouache
- Colle

Fabrication

1. Découper, si nécessaire, une ouverture sur l'un des grands côtés de la boîte.

2. Peindre les assiettes, la boîte et le gobelet; laisser sécher.

3. Installation du perchoir:

Placer la boîte dans le sens de la hauteur et percer chaque côté; y insérer la branchette de part en part.

4. Assemblage de la mangeoire:

Coller la boîte sur la grande assiette. Chiffonner du papier essuie-tout et le coller à l'intérieur de l'assiette profonde, en laisser dépasser un peu, y mettre de la colle et fixer cette assiette sur le dessus de la boîte.
Coller le gobelet sur l'assiette profonde en employant la même technique.

LE TERRAIN DE JEU

**E**n arrière, en avant!
Avec un bon élan,
je me laisse bercer dans le vent.
En arrière, en avant!

BALANÇOIRES

Matériel

- 2 alvéoles de boîte à œufs
- 4 cure-pipes
- 1 morceau de polystyrène
- 5 branchettes
- Laine
- Ruban adhésif
- Gouache
- Ciseaux

Fabrication

1. Peindre le polystyrène et les alvéoles; laisser sécher.

2. La base:

Piquer une branchette aux quatre coins du morceau de polystyrène.

Croiser les branchettes de chaque côté et les attacher ensemble avec un cure-pipe. Déposer la cinquième branchette horizontalement à la croisée des quatre premières et la fixer à chaque bout avec un cure-pipe.

3. Installation des sièges:

Percer un trou de chaque côté des alvéoles à l'avant et à l'arrière et y passer une laine. Nouer chaque laine à la branchette du haut et les fixer avec le ruban adhésif afin d'empêcher les sièges de basculer.

En haut, en bas!
Cette balançoire est comme une balance.
Qu'arrive-t-il si un bonhomme est plus lourd que l'autre?
Que se passe-t-il si les deux ont le même poids?
En haut, en bas!
Si tu les aides un peu,
tes personnages pourront monter et descendre bien mieux!

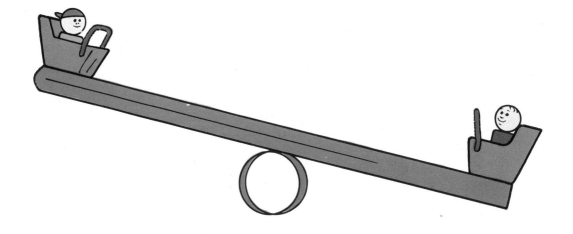

BALANÇOIRE À BASCULE

Matériel

- 2 alvéoles de boîte à œufs
- 1 rouleau de papier hygiénique
- 1 rouleau de papier essuie-tout
- 2 bouts de cure-pipe
- Gouache
- Colle
- Ciseaux

Fabrication

1. Aplatir le rouleau de papier essuie-tout pour faire la planche.

2. Couper une petite partie du rouleau de papier hygiénique qui servira de support.

3. Peindre la base et les alvéoles; laisser sécher.

4. Pose des poignées:

Percer un trou de chaque côté des alvéoles à l'avant et y fixer un bout de cure-pipe.

5. Assemblage de la balançoire:

Coller les deux sièges sur la planche à chaque extrémité et le petit rouleau sous la planche, au centre.

 **S**ur le dos ou sur les cuisses,
je glisse, je glisse!

Sur le ventre ou sur les fesses,
moi je glisse à toute vitesse!

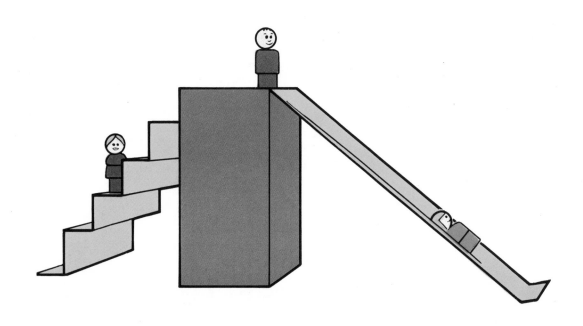

GLISSOIRE-TOBOGGAN

Matériel

- 1 petite boîte en carton
- 1 rouleau de papier essuie-tout
- Gouache
- Colle
- Ciseaux

Fabrication

1. Aplatir le rouleau et le couper en deux dans le sens de la longueur.

Utiliser une moitié du rouleau plié en accordéon pour l'escalier et l'autre moitié pour la descente.

2. Peindre la descente, l'escalier et la boîte; laisser sécher.

3. Assemblage de la glissoire-toboggan:

Placer la boîte dans le sens de la hauteur et coller l'escalier sur un côté de celle-ci. Replier une extrémité de la descente et la coller sur la boîte.

 ourne, tourne le manège,
qui tourne tout autour de la Terre,
qui tourne tout autour du Soleil,
qui tourne, tourne dans l'espace.

MANÈGE

Matériel

- 1 assiette profonde en carton rigide
- 4 alvéoles de boîte à œufs
- Papier essuie-tout
- 1 bobine de fil
- 1 paille
- 2 bâtonnets plats
- Gouache
- Colle
- Ciseaux

Fabrication

1. Percer le centre de l'assiette de manière à pouvoir y insérer une paille.

2. Peindre l'assiette, la bobine, les bâtonnets et les alvéoles; laisser sécher.

3. Les sièges:

Coller les deux bâtonnets en croix, coller un alvéole à chaque extrémité de ceux-ci et fixer le tout sur le dessus de la bobine.

4. Assemblage du manège:

Insérer la paille dans le trou de l'assiette.
Chiffonner du papier essuie-tout et en coller au fond de l'assiette de façon à maintenir la paille au centre.
Placer l'assiette à l'envers et couper la paille à la hauteur de la bobine; la paille servira de pivot.
Déposer le haut du manège sur l'assiette.

DANS L'ESPACE

La lune est blanche et toute triste.
Si j'avais une fusée,
je ferais un foulard, un grand foulard multicolore.
J'irais le porter au bonhomme qui vit sur la lune.
Je le connais, je le vois tous les soirs de pleine lune.
Si j'avais une fusée,
ce serait bien.
Le bonhomme agiterait le foulard pour me dire bonsoir.
La lune ne serait plus toute blanche et toute triste,
elle deviendrait multicolore.
Ah! Si j'avais une fusée...

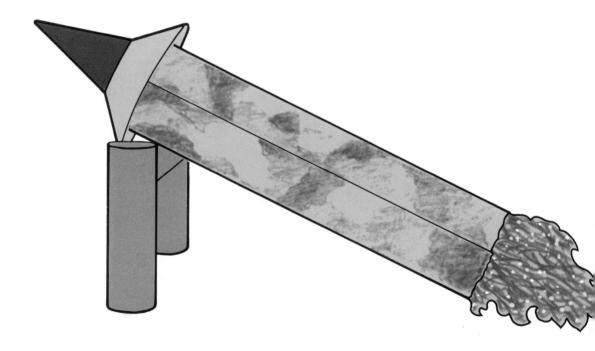

FUSÉE

Matériel
- Papier essuie-tout
- Gouache
- Colle

Pour la fusée
- 3 rouleaux de papier essuie-tout
- 3 cornets de papier
- Ciseaux

Décoration
- Brindilles de paille

Pour la base
- 3 rouleaux de papier hygiénique

Fabrication

1. Le grand cône:

Ouvrir deux cornets en les coupant de la base à la pointe, les coller ensemble de façon à obtenir un grand cône.

2. Peindre les six rouleaux, le cône et le cornet; laisser sécher.

3. Le nez:

Chiffonner du papier essuie-tout et le coller au fond du petit cône, y mettre de la colle et le fixer sur le grand cône.

4. Fabrication de la fusée:

Coller ensemble les trois grands rouleaux.
Chiffonner du papier essuie-tout et en coller à l'intérieur d'une extrémité de chaque rouleau, en laisser dépasser un peu, y mettre de la colle et fixer le nez.

5. Coller les brindilles de paille à l'intérieur de l'autre extrémité des trois grands rouleaux; elles symbolisent les flammes.

6. Fabrication de la base:

Chiffonner des morceaux de papier essuie-tout et les coller à l'intérieur des deux extrémités d'un rouleau de papier hygiénique, en laisser dépasser un peu, y mettre de la colle et disposer les deux autres rouleaux à la verticale en les réunissant par le haut au moyen du rouleau encollé placé à l'horizontale.

Suggestion
On pourra remplacer les brindilles de paille par des languettes de papier.

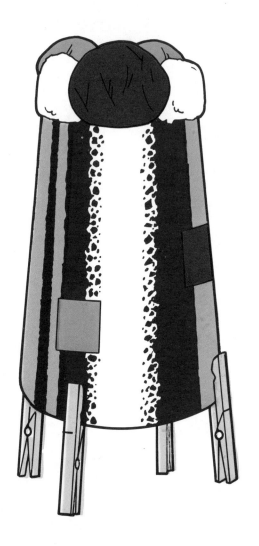

 a capsule spatiale se détache de la fusée
pour aller explorer la Lune.
Est-ce qu'il y a des fleurs qui poussent sur la Lune?
Est-ce qu'il pleut, est-ce qu'il neige sur la Lune?
Est-ce que la Lune est parfois dans la lune?

CAPSULE SPATIALE

Matériel

- 1 récipient en plastique (crème glacée)
- Papier d'aluminium
- 4 pinces à linge
- Colle
- Ciseaux

Décoration

- Carton bristol
- Papier de soie
- Tampons d'ouate

Fabrication

1. Recouvrir le récipient de papier d'aluminium.

2. Décoration de la capsule:

Déposer le récipient à l'envers, y coller les fenêtres taillées dans le carton. Faire trois boules de papier de soie et les coller, avec les tampons d'ouate, sur le dessus du récipient.

3. Les pinces à linge serviront de pieds à la capsule.

omme un astronaute dans son habit d'argent,
je marche très lentement,
mais à pas de géant.

Comme un astronaute dans son habit d'argent,
je m'éloigne de la Terre,
je me promène dans l'univers.

VAISSEAU SPATIAL

Matériel

- 1 boîte de spaghettis
- 1 récipient carré en polystyrène
- 1 alvéole de boîte à œufs
- 1 tube en plastique transparent (pilules)
- 4 rouleaux de papier hygiénique
- 2 rouleaux de papier essuie-tout
- Papier essuie-tout
- 2 boutons à trous
- Gouache
- Colle

Fabrication

1. Peindre la boîte, le récipient en polystyrène, l'alvéole et les six rouleaux; laisser sécher.

2. Assemblage des fusées:

Déposer la boîte à plat, coller de chaque côté un grand rouleau et deux petits.

3. Installation du poste de pilotage:

Chiffonner des morceaux de papier essuie-tout, les coller au bord intérieur des quatre coins du récipient en polystyrène, en laisser dépasser un peu, y mettre de la colle et le fixer sur la boîte. Coller l'alvéole sur le récipient en polystyrène, fixer le tube en plastique à l'avant.

4. Installation des lumières:

Coller les boutons de chaque côté du récipient en polystyrène.

 **L**es soucoupes volantes, est-ce que ça existe ?

— Les soucoupes, en tout cas, ça existe.
On les place sous les tasses pour
boire du café, du thé ou du chocolat chaud.

— Mais les soucoupes volantes, est-ce que ça existe ?
— Les soucoupes qui glissent, en tout cas, ça existe.
On s'assoit dedans et on glisse sur la neige.

— Oui, mais les soucoupes volantes, est-ce que ça existe ?
— Il y a des oiseaux, des mouches, des papillons qui volent.
Il y a des cerfs-volants, des avions, des fusées qui volent.
— Y a-t-il des soucoupes qui volent ?

SOUCOUPE VOLANTE

Matériel

- 2 assiettes profondes en carton rigide
- 3 bouchons de liège
- Gouache
- Colle
- Ciseaux

Décoration

- 4 tampons d'ouate
- 1 cure-pipe de 30,5 cm
- 1 gros bouton à trous
- Dentelle
- Paillettes minuscules

Fabrication

1. Peindre les bouchons, les assiettes et les saupoudrer de paillettes. Laisser sécher.

2. La soucoupe:

Coller ensemble les bords des deux assiettes.

3. Décoration:

Coller la dentelle sur le pourtour de la soucoupe. Couper un cure-pipe en quatre, coller un tampon d'ouate à l'une des extrémités de chaque tige et fixer le tout sur le dessus de la soucoupe, au centre. Replier les extrémités libres. Coller le bouton au centre des tampons d'ouate.

4. Coller les bouchons sous la soucoupe; ils serviront de train d'atterrissage.

Suggestion

On pourra remplacer la dentelle par des boules de papier de soie qui feront effet de lumières.

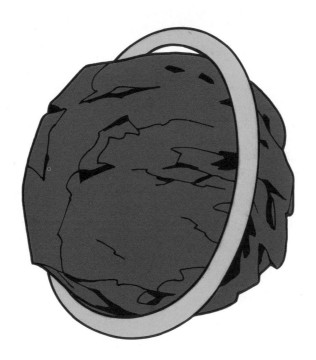

ne planète, c'est comme un gros ballon,
un gros, gros ballon tout rond.

Ma planète s'appelle la Terre.
Il y en a des choses sur la Terre:
   des pays,
   des amis,
   des souris,
   des radis,
   et quoi encore ?
Sais-tu ce qu'il y a au-dessus de la Terre ?
Sais-tu ce qu'il y a sous la Terre ?

Il existe plusieurs autres planètes.
J'en connais une qui porte une sorte de bague,
un anneau qui l'entoure.
Aimerais-tu te promener en patins à roulettes
sur l'anneau de Saturne ?

SATURNE

Matériel

- 1 assiette profonde en carton rigide
- Papier journal
- Gouache
- Colle
- Ciseaux

Fabrication

1. L'anneau:

Découper le bord de l'assiette.

2. La planète:

Façonner une boule de papier journal de même diamètre que l'intérieur de l'anneau; la terminer en collant les bouts.

3. Peindre la planète et l'anneau; laisser sécher.

4. Assemblage:

Insérer la planète dans l'anneau.

DIFFÉRENTS ACCESSOIRES

**A**bracadabra!
Je te change en chat!

Un coup de baguette magique.
Et je suis en Afrique.

Deux coups avec ma baguette.
Un gros lion danse les claquettes.

Trois coups et tu disparais!
Reviens vite, s'il te plaît!

BAGUETTE MAGIQUE

Matériel

- Cure-pipes
- Boule en polystyrène
- Tampons d'ouate
- 1 branchette
- Gouache
- Colle
- Ciseaux

Fabrication

1. Peindre la boule; laisser sécher

2. Piquer la branchette dans la boule.

3. Couper chaque cure-pipe en quatre.

4. Coller des tampons d'ouate à une extrémité de chaque bout de cure-pipe et piquer l'autre extrémité dans la boule.

**Q**ue mettras-tu dans ton joli sac à main?

Une plume, un collier,
une toute petite araignée?

Des sous pour acheter
un cornet de crème glacée?

Un mouchoir en papier,
des crayons pour dessiner?

Que mettras-tu dans ton joli sac à main?

J'y mettrai ce qui me plaît,
des milliers de petits secrets!

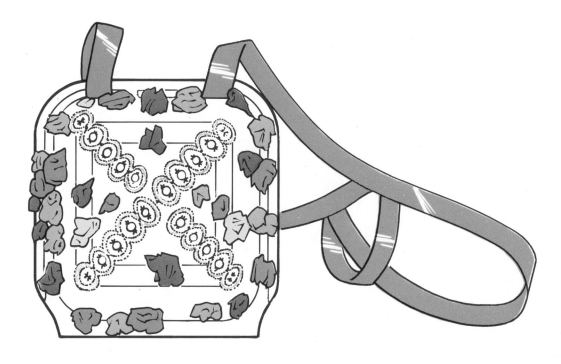

SAC À MAIN

Matériel

- 1 récipient à couvercle en polystyrène (type *hamburger*)
- Ruban ou ficelle
- Colle
- Ciseaux

Décoration

- Dentelle
- Papier de soie

Fabrication

1. Installation de la courroie:

Ouvrir le récipient, percer chaque côté de l'ouverture et y passer les deux bouts du ruban. Terminer par un nœud à chaque extrémité.

2. Décorer le récipient avec de la dentelle et du papier de soie collés.

Remarque

Il est préférable de ne pas utiliser de peinture sur ce genre de récipient parce que celle-ci aura tendance à s'écailler. Un matériel léger et mince adhère mieux à cette surface.

Suggestion

Pour la décoration, on pourra utiliser du ruban fantaisie, du tissu, du papier de bricolage, des gommettes autocollantes, des plumes et des bouts de cure-pipes collés ou piqués.

Mesdames, messieurs,
j'ai des bons légumes à vendre et pour pas cher!

Goûtez à mes radis,
vous serez ravis.
Mes champignons
sont si mignons.
Avec mes pommes de terre,
vous faites une bonne affaire.
Mes choux
vous rendront fous.
Mes carottes
ne sont pas sottes.
Mes choux-fleurs
feront votre bonheur.
Mes oignons vous font pleurer un peu?
Prenez mon mouchoir pour essuyer vos yeux!

Mesdames, messieurs,
j'ai des bons légumes à vendre et pour pas cher!

PANIER À PROVISIONS

Matériel

- 1 récipient en carton comprimé
- Papier essuie-tout
- 2 cure-pipes de 30,5 cm
- Photos d'aliments découpées dans des revues ou des dépliants publicitaires
- Gouache
- Colle
- Ciseaux

Fabrication

1. Peindre le récipient; laisser sécher.

2. Chiffonner du papier essuie-tout et le coller jusqu'au bord du récipient pour donner l'impression que le panier est rempli.

3. Découper les photos d'aliments et les coller sur le papier essuie-tout.

4. Pose des anses:

Percer deux trous de chaque côté du panier pour y passer les deux cure-pipes qui formeront les anses.

Suggestion

Selon le thème choisi, le panier pourra contenir uniquement des fruits, des légumes, etc.

**P**lus lourd ou plus léger?
Il faudra me peser:

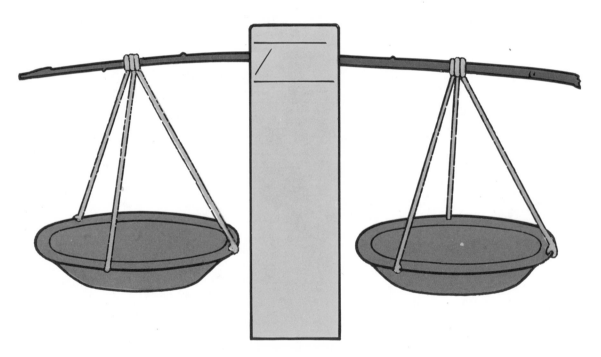

Un caillou et un sou,
un crayon et un bouton,
un biscuit et un radis,
un dé et un bout de papier,
une poussière et un courant d'air,
un raisin et un gros chagrin.

BALANCE

Matériel

- 2 assiettes profondes en carton rigide
- 1 carton de lait de 1 litre
- 6 cure-pipes de 30,5 cm
- 1 branchette
- Cailloux
- Gouache
- Colle

Fabrication

1. Peindre le carton et les deux assiettes; laisser sécher.

2. Remplir à mi-hauteur le carton de cailloux pour lui assurer une meilleure stabilité et coller l'ouverture.

3. Installation de la branchette:

Percer chaque côté du carton sous l'ouverture et passer la branchette de part en part.

4. Installation des plateaux:

Percer trois trous sur le rebord de chacun des plateaux et y fixer une extrémité des cure-pipes. Attacher les plateaux à la branchette en y enroulant l'autre extrémité des cure-pipes.

Remarque

Si la branchette qui sert de fléau n'est pas assez mobile, on pourra agrandir les trous en la bougeant légèrement.

Clic, clic !
Tiens-toi droit sur un pied.
Et défense de bouger.

Clic, clic !
Lève les bras.
Regarde-moi.

Clic, clic !
Les mains derrière le dos.
Ça fera une jolie photo !

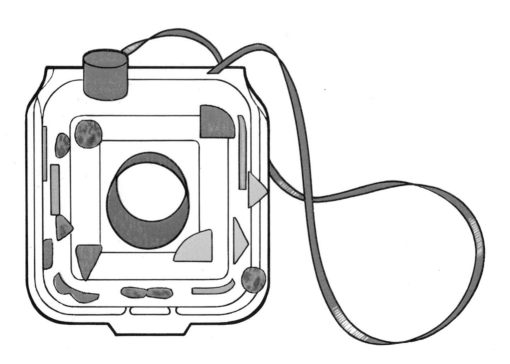

■ Jeu de la statue: chaque enfant, à tour de rôle, doit prendre une position commandée par un autre, puis il doit bouger, mais reprendre la position initiale au signal «Clic! Clic!».

APPAREIL-PHOTO

Matériel

- 1 récipient à couvercle en polystyrène (type *hamburger*)
- 1 rouleau de papier hygiénique
- 1 bouchon en plastique
- Papier essuie-tout
- Ruban ou cordonnet
- Gouache
- Colle
- Ciseaux

Décoration

- Bouts de tissu

Fabrication

1. Peindre le rouleau; laisser sécher.

2. Pose de la lentille:

Dessiner deux ronds symétriques sur les deux faces du récipient, au centre. Pratiquer une petite ouverture au centre des deux faces, faire des entailles autour des trous et y passer le rouleau d'une face à l'autre.

3. Pose de la courroie:

Pratiquer deux petites ouvertures sur le rebord du récipient et y passer les deux bouts du ruban. Terminer par un nœud à chaque extrémité.

4. Décorer l'appareil en collant des bouts de tissu.

5. Pose du bouton déclencheur:

Chiffonner un petit morceau de papier essuie-tout, le coller à l'intérieur du bouchon de façon à le remplir, y mettre de la colle et le fixer sur le récipient, près de la courroie.

Remarque

Il est préférable de ne pas utiliser de peinture sur ce genre de récipient parce que celle-ci aura tendance à s'écailler. Un matériel léger et mince adhère mieux à cette surface.

Suggestion

Pour la décoration, on pourra utiliser du ruban fantaisie, de la dentelle, du papier de soie, du papier de bricolage et des gommettes autocollantes.

**A**h ! regarde, c'est moi quand j'ai eu un an.
Je mets les deux mains sur le gâteau !

Ah! regarde, c'est moi quand j'apprenais à marcher.
Ouf ! J'avais failli tomber!

Ah! regarde, c'est moi quand j'avais deux ans.
J'apprenais à faire pipi dans le pot !

Ah! regarde, c'est moi qui prends mon bain.
Je joue dans la mousse avec mon bateau!

Ah ! regarde, c'est moi !

CADRE POUR PHOTO

AVEC LES BOÎTES
Matériel

- 2 petites boîtes en carton de grandeurs différentes
- 1 bouchon de liège
- 1 photo
- Gouache
- Colle
- Ciseaux

Fabrication

1. Peindre les boîtes ; laisser sécher.

2. Tailler la photo et la coller à l'intérieur de la plus petite boîte.

3. Assemblage du cadre :

Coller le bouchon à l'horizontale sur le dessus et au centre de la grande boîte, coller le dos de la petite boîte au bouchon en inclinant celle-ci un peu vers l'arrière.

AVEC L'ASSIETTE
Matériel

- 1 petite assiette en carton souple
- 1 photo
- Gouache
- Colle
- Ciseaux

Décoration

- Dentelle

Fabrication

1. Peindre l'assiette ; laisser sécher.

2. Décoration de l'assiette :

Coller de la dentelle sur le pourtour de l'assiette.

3. Tailler et coller la photo au centre de l'assiette.

Suggestion

Pour la décoration, on pourra utiliser du ruban fantaisie.

Lumière fragile
qui tremble, qui brille.

J'en vois deux
dans tes yeux.
Fais un voeu
et souffle un peu.

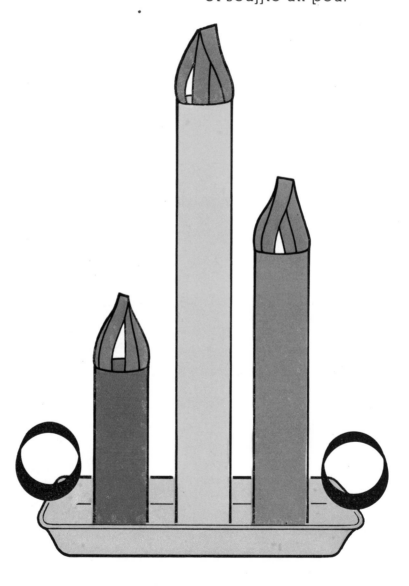

BOUGEOIR

Matériel

- 1 petit plateau en carton comprimé
- 3 rouleaux de différentes grandeurs (rouleaux de papier hygiénique, de papier essuie-tout, auquel on retranche quelques centimètres.)
- Papier de bricolage
- Papier essuie-tout
- Gouache
- Colle
- Ciseaux

Fabrication

1. Peindre le plateau et les rouleaux; laisser sécher.

2. La flamme:

Découper quatre languettes de papier de bricolage.

Coller une extrémité de chacune à l'intérieur du rouleau, coller ensuite les quatre autres extrémités ensemble.

3. Installation des bougies sur le plateau:

Chiffonner du papier essuie-tout et en coller à l'intérieur d'une extrémité de chaque rouleau, en laisser dépasser un peu, y mettre de la colle et les fixer au plateau.

4. Les anses:

Découper deux languettes dans le papier de bricolage, coller les deux extrémités de chaque languette ensemble afin d'obtenir deux anneaux. Coller ceux-ci sur le bord du plateau, de chaque côté.

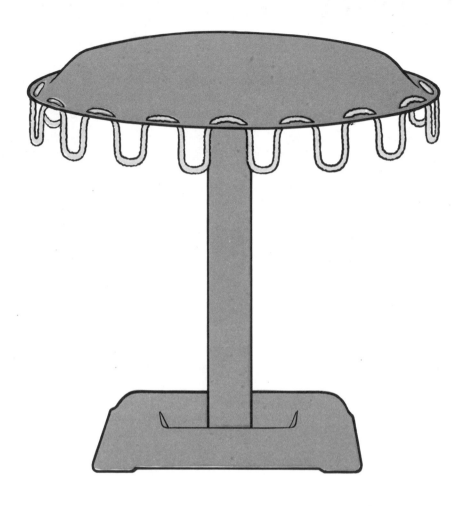

I

l faut bien que le Soleil se repose de temps en temps.
Quand il dort, moi, j'allume ma lampe.

Elle n'éclaire pas toute la Terre, bien sûr.
Mais c'est comme un petit soleil dans ma chambre.

Grâce à elle, je peux continuer à jouer
et à regarder mes livres d'images.

Mais il faut bien que je me repose moi aussi,
de temps en temps.
Pour dormir, moi, j'éteins ma lampe.

LAMPE

Matériel

- 1 grande assiette ovale en carton rigide
- 1 récipient plat en carton comprimé
- 1 rouleau de papier essuie-tout
- Papier essuie-tout
- Poinçon
- Gouache
- Colle
- Ciseaux

Décoration

- Laine

Fabrication

1. Perforer le tour de l'assiette à l'aide du poinçon.

2. Pratiquer une petite ouverture au centre du récipient et faire des entailles autour du trou avec les ciseaux. Cette base servira de support à la lampe.

3. Peindre l'assiette, le rouleau et le récipient; laisser sécher.

4. Décoration de l'assiette:

Passer la laine dans chaque trou de façon à la laisser pendre un peu.
Terminer en nouant les deux bouts de laine.

5. La lampe:

Chiffonner du papier essuie-tout et en coller à l'intérieur d'une extrémité du rouleau, en laisser dépasser un peu, y mettre de la colle et le fixer au centre de l'envers de l'assiette.

6. Assemblage de la lampe:

Insérer l'autre extrémité du rouleau dans l'ouverture du récipient placé à l'envers.

Suggestion

Pour la décoration, on pourra utiliser du cordonnet de couleur ou de la ficelle.

LES FÊTES

**M**on pitou
mon minou
mon toutou
mon bijou
mon gros loup
mon petit chou
dis-moi donc des petits mots doux!

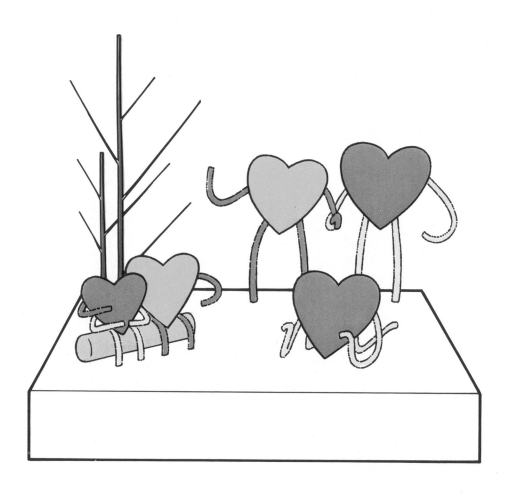

* PERSONNAGES EN COEUR

Matériel

- 1 boîte de céréales
- Carton bristol
- Cure-pipes
- 2 bouchons de liège
- Ruban adhésif
- Gouache
- Ciseaux

Décoration

- Branchettes

Fabrication

1. Peindre la boîte et laisser sécher.

2. Les personnages:

Tailler dans le carton des cœurs de différentes grandeurs.

Fabriquer les bras et les jambes avec des cure-pipes coupés et collés derrière les cœurs à l'aide de ruban adhésif.

3. Assemblage:

Percer des trous dans la boîte pour faire tenir les personnages et les branchettes. Coller les deux bouchons de liège côte à côte pour former le banc.

Remarque

La position et l'arrangement des personnages et des accessoires dépendent de la fantaisie de chacun.

* Activité destinée à la Saint-Valentin. Fête des amoureux, le 14 février, généralement célébrée dans les pays anglo-saxons, mais popularisée en France par le caricaturiste Peynet. Le jour de la Saint-Valentin, en Amérique du Nord, non seulement les amoureux, mais tous ceux qui s'aiment échangent de petits cadeaux: enfants, parents, amis.

**T**oc, toc, toc!
Mais qu'est-ce qui se passe ici?
Mes oeufs bougent, ils font du bruit.
Toc, toc, toc!
J'en suis tout étourdie,
dit madame la poule en regardant son nid.
Pit, pit, pit!
Mais qu'est-ce qui se passe ici?
Quels sont ces petits cris?
Pit, pit, pit!
Ah! Ce sont mes poussins chéris,
dit madame la poule qui sourit.

N'est-ce pas qu'ils sont beaux à croquer,
les petits poussins que j'ai couvés
vingt et un jours sans me lasser?

PÂQUES: PANIER DE POUSSINS

Matériel

- 1/2 boîte à œufs
- 1 cure-pipe de 30,5 cm
- Cacahuètes non décortiquées
- Gouache

Décoration

- Brindilles de paille

Fabrication

1. Peindre la boîte et les gousses; laisser sécher.

2. Employer la partie la plus pointue de la gousse pour dessiner les traits.

Peindre le bec sur la petite pointe et les yeux au-dessus du bec.

3. Pose de l'anse:

Percer deux trous entre les alvéoles, vers le centre de la boîte, et y fixer les extrémités du cure-pipe.

4. Décoration du panier:

Disposer des brindilles de paille dans le fond et y déposer les poussins.

Remarque

Ces petits poussins sont à la fois décoratifs et nourrissants.

B ocorico!
Bonjour ma cocotte, bonjour mon coco!
J'ai pour toi un bel oeuf bien chaud!
Coco,
Coco,
Cocorico!

PÂQUES : COQUETIERS

Matériel

- 8 alvéoles de boîte à œufs
- Colle
- Ciseaux

Décoration

- Bouts de cure-pipes
- Gouache

Fabrication

1. Peindre les alvéoles; laisser sécher.

2. Coller les bases des alvéoles deux à deux.

3. Décoration des coquetiers:

Percer deux trous pour les bras dans les alvéoles du bas et fixer les cure-pipes. Peindre les yeux et la bouche sur les alvéoles du haut; laisser sécher.

Oeuf de caille ou de poule,
œuf d'autruche gros comme une boule,
œuf à la coque,
œuf de Pâques,
œuf au plat,
œuf en chocolat!

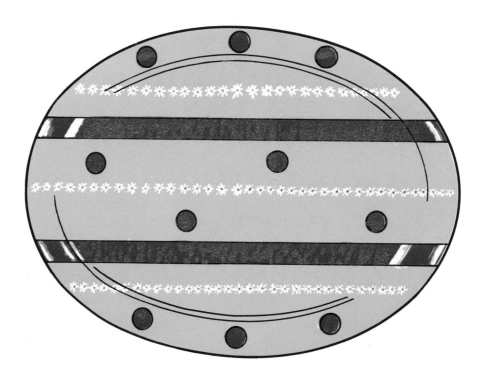

ŒUF DE PÂQUES

Matériel

- 2 grandes assiettes ovales en carton rigide
- Gouache
- Colle
- Ciseaux

Décoration

- Dentelle
- Ruban fantaisie
- Gommettes autocollantes

Fabrication

1. Peindre les assiettes et les laisser sécher.

2. Coller ensemble les rebords des deux assiettes.

3. Décoration de l'œuf:

Coller de la dentelle, du ruban et des gommettes sur les deux côtés.

Suggestion

On pourra peindre des motifs à même les assiettes.

U n chapeau
pour avoir chaud !
Un chapeau
pour être plus beau !

Chapeaux de feutre, de laine, de plumes, de poils, de paille.
Casquette
plate comme une assiette.
Bonnet, béret, casquette, foulard et sombrero.
Chapeau de pompier,
képi de policier.
Capuchon, chapeaux à fleurs, à ruban, de soleil et de pluie.
Chapeau melon,
chapeau en carton.

Un chapeau
pour avoir chaud !
Un chapeau
pour être plus beau !

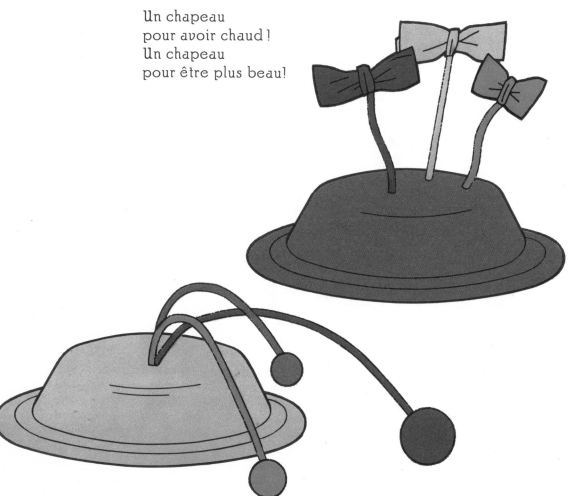

CHAPEAUX

Matériel

(pour un chapeau)
- 1 assiette profonde en carton rigide
- 3 cure-pipes de longueurs différentes
- Élastique
- Gouache
- Ciseaux

Décoration

- Papier de soie ou 3 boules en polystyrène

Fabrication

1. Peindre l'assiette et les boules si on les utilise ; laisser sécher.

2. Décoration du chapeau :

Confectionner trois petits rouleaux en papier de soie et les fixer aux cure-pipes en enroulant une extrémité de ceux-ci autour d'eux.

ou

Piquer une extrémité des cure-pipes dans les trois boules.

3. Fixer les cure-pipes au chapeau en perçant trois trous dans l'assiette et en piquant l'autre extrémité des cure-pipes dans ces trous.
Replier les bouts des cure-pipes à l'intérieur du chapeau.

4. Percer chaque côté du bord du chapeau et y fixer un élastique de la longueur nécessaire.

Suggestions

1. Des fleurs dessinées et découpées dans du papier de bricolage pourront servir à la décoration.

2. On pourra employer des assiettes en carton rigide de différentes grandeurs pour réaliser ces chapeaux.

A aujourd'hui tout est changé,
moi aussi, je me sens transformé.

Je suis très excité,
car tout peut arriver.

Avec mon bandeau sur la tête,
j'ai vraiment le cœur à la fête.

BANDEAUX DE FÊTE

Matériel

(pour un bandeau)

- Carton bristol
- Gouache
- Colle
- Ciseaux
- Agrafeuse (facultatif)

Fabrication

1. Fabrication du bandeau :

Découper dans le carton une bande d'environ 2,5 cm de largeur et de la longueur désirée.

2. Décoration du bandeau :

Selon la fête, dessiner les motifs appropriés sur le carton, les découper et les peindre ; laisser sécher.

3. Coller les modèles sur le bandeau et assembler par un point de colle les deux extrémités, afin d'ajuster le bandeau au tour de tête de l'enfant.

Remarque

Pour plus de solidité, on pourra agrafer le bandeau.

Suggestion

Pour les décorations, on pourra simplement découper des motifs dans des revues et les coller sur les bandeaux.

Dans l'atelier, je porte un masque pour me protéger
des étincelles et des éclats de métal.
Qui suis-je ?

Quand je joue au hockey, je porte un masque
pour me protéger des accidents.
Qui suis-je ?

Quand j'opère un malade, je porte un masque
pour empêcher les microbes de se répandre.
Qui suis-je ?

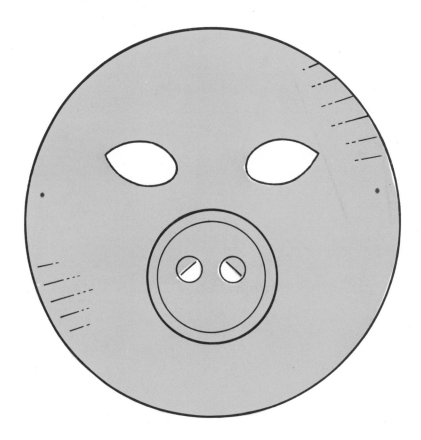

Moi, quand je veux devenir un monstre, une fée ou un cochon,
je me fabrique un beau masque de carton.
Qui suis-je?

* MASQUE DE COCHON

Matériel

- 1 grande assiette en carton souple
- 1 récipient rond en polystyrène
- Papier essuie-tout
- Élastique
- Gouache
- Colle
- Ciseaux

Fabrication

1. Tailler dans l'assiette les yeux et une ouverture pour permettre à l'enfant de respirer; celle-ci ne doit pas être trop grande afin que le récipient puisse s'ajuster autour d'elle.

Percer deux trous pour les narines dans le fond du récipient.

2. Peindre l'assiette et le récipient; laisser sécher.

3. Pose du nez:

Chiffonner des morceaux de papier essuie-tout et les coller sur le bord du contenant à l'intérieur, en laisser dépasser un peu, y mettre de la colle et le fixer sur l'assiette, autour de l'ouverture d'aération.

4. Percer chaque côté du masque et y fixer l'élastique.

* Déguisement pour l'Halloween. Le soir du 31 octobre, les petits Nord-Américains masqués et déguisés passent de porte en porte, un panier ou un sac à la main, pour recueillir des friandises. Cette fête enfantine annuelle marque la veille de la Toussaint.

**D**ans ma rue, ce soir,
quand il fera noir,
on verra
à chaque pas:

des sorcières et des sorciers,
des princesses et des pompiers.
Des astronautes,
et des robots.
Des chats et des cochons.
Des fées et des lions.
Des lutins,
des Martiens.
Aux fenêtres allumées,
des citrouilles toutes décorées.
Entrez !
Entrez !

* PANIER À BONBONS

Matériel

- 1 petite assiette en carton rigide
- 1 récipient rond en plastique (crème glacée) de deux litres
- 2 bouts de cure-pipe
- 1 bouchon de liège
- Cordonnet
- Poinçon
- Gouache
- Colle
- Ciseaux

Décoration

- Papier de bricolage

Fabrication

1. À l'aide du poinçon, percer chaque côté du récipient pour y fixer l'anse.
Percer deux trous à l'arrière du récipient et deux autres dans l'assiette. Il faut que les trous correspondent pour pouvoir attacher le couvercle.

2. Peindre le récipient, l'assiette et le bouchon de liège; laisser sécher.

3. Décoration du récipient:

Dessiner et découper les yeux, le nez et la bouche dans le papier de bricolage; les coller sur le récipient.

4. Pose de l'anse:

Insérer les extrémités du cordonnet dans les deux trous et les nouer à l'intérieur du récipient.

5. Installation du couvercle:

Fixer l'assiette au récipient avec des bouts de cure-pipe.

6. Coller le bouchon de liège au centre du couvercle pour former le pédoncule du panier-citrouille.

* Déguisement pour l'Halloween.

ou - Hou - Hou !

— Encore un fantôme !
Tu ne pourrais pas frapper comme tout le monde avant d'entrer,
au lieu de passer à travers les murs ?
Ce n'est pas très poli, tu sais.

— Hou - Hou - Hou !
— Encore toi !
Tu ne pourrais pas marcher sur le plancher comme tout le
monde, au lieu de voler ? Tu as encore fait tomber mon mobile.
Ce n'est pas très poli, tu sais.

— Hou - Hou - Hou ! Ce n'est pas drôle de jouer avec toi
si tu n'as pas peur.
— Ah ! c'est vrai ! Excuse-moi.
Au secours ! Un fantôme !

194

* FANTÔME

Matériel

- Papier essuie-tout
- Morceaux de feutrine
- 1 cure-pipe de 30,5 cm
- Colle
- Ciseaux

Fabrication

1. La tête:

Façonner une grosse boule avec du papier essuie-tout.

2. Le fantôme:

Recouvrir la boule avec du papier essuie-tout. Enrouler un cure-pipe sous la boule pour former le cou et se servir des deux bouts pour faire une poignée à l'arrière.

3. Tailler les yeux et la bouche dans la feutrine; les coller sur la face.

* Déguisement pour l'Halloween.

 L'empreinte de ton doigt, c'est comme ton nom. C'est une marque qui n'appartient qu'à toi. Une petite trace qui signifie : c'est moi qui t'offre ce cadeau-là !

Matériel

- Feuilles de papier de même grandeur et de couleurs différentes
- Ruban
- Poinçon

Décoration

- Gouache
- Crayons de couleur

Fabrication

1. Décoration des feuilles :

Tremper le bout du doigt dans la gouache et l'imprimer par pression sur chaque feuille.

2. En s'inspirant de chaque empreinte, faire un dessin avec les crayons de couleur : une souris, une fleur, etc.

3. Assemblage :

Percer chaque feuille à l'aide du poinçon et les réunir avec du ruban.

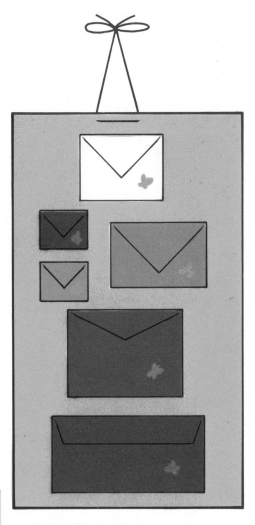

Dans l'enveloppe du haut,
Jean-Pierre met ses photos.

Dans celle du bas,
des listes d'achats.

Dans celles du milieu,
il dépose comme il veut:

une mèche de cheveux,
des trombones tout bleus,

des billets d'autobus,
deux ou trois petites puces,

des timbres, des petits mots doux,
des élastiques, et ce n'est pas tout !

Matériel

- Carton bristol
- Enveloppes de différentes grandeurs
- Cordonnet
- Colle
- Ciseaux

Décoration

- Images découpées ou crayons de couleur

Fabrication

1. Décorer chaque enveloppe, selon le goût, avec un collage ou un dessin.

2. Disposer et coller les enveloppes sur le carton.

3. Percer deux trous dans le haut du carton et y passer un cordonnet de la longueur désirée.

**D**ans mon vide-poches
je vide mes poches:

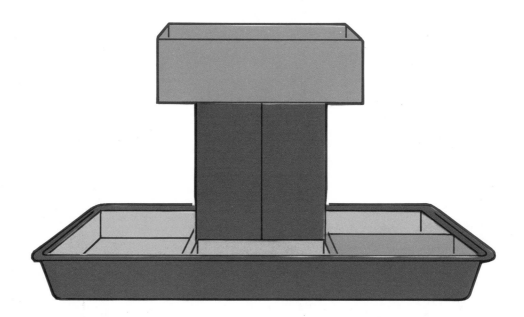

Une barrette, un raisin sec, une petite grenouille,
deux cailloux qui brillent quand on les mouille.

Trois sous, trois rubans, trois poils de souris,
quatre plumes d'oiseaux, quatre morceaux de biscuits.

Cinq pissenlits et cinq oeillets,
six ou sept petits secrets !

Matériel

- Petites boîtes en carton de différentes grandeurs
- 1 plateau en carton comprimé
- 2 rouleaux de papier hygiénique
- Papier essuie-tout
- Gouache
- Colle

Fabrication

1. Peindre le plateau, les rouleaux et les boîtes ; laisser sécher.

2. Chiffonner du papier essuie-tout et en coller à l'intérieur de chaque extrémité des rouleaux, en laisser dépasser un peu, y mettre de la colle et fixer une extrémité de chaque rouleau à l'intérieur du plateau en les plaçant côte à côte.
Coller une des boîtes sur le dessus des deux rouleaux.

3. Coller les autres boîtes à l'intérieur du plateau en les disposant en fonction de leurs dimensions.

Ton plateau de friandises,
ce sera une belle surprise!
Tu pourras l'offrir
pour faire plaisir:

À l'oncle Jean,
à grand-maman,
à ton grand frère
ou à ton père.
À tante Lucienne,
à ta gardienne,
à ton professeur
ou au facteur.

À qui voudrais-tu l'offrir, toi?

Matériel

- 1 grande assiette en carton rigide
- 3 assiettes profondes en carton rigide
- 3 cure-pipes de 30,5 cm et un petit bout
- Gouache
- Colle
- Ciseaux

Décoration

- Papier essuie-tout

Fabrication

1. Tailler les bords des trois assiettes profondes afin que celles-ci ne dépassent pas trop de la grande lors de l'assemblage.

2. Peindre les assiettes ; laisser sécher.

3. Assemblage du plateau :

Placer la grande assiette à l'envers et percer un trou au centre ; y piquer les cure-pipes et replier les trois extrémités sous l'assiette.
Coller les assiettes profondes sur la grande assiette.
Percer un trou dans le bord de celle-ci, entre les trois autres, y passer l'autre extrémité des cure-pipes et replier en dessous.
Attacher ensemble les trois anses au centre à l'aide du bout de cure-pipe.

4. Décoration du plateau :

Tailler trois petits napperons dans du papier essuie-tout et les déposer dans les assiettes profondes.

Je sais...
Pour que tu viennes, il faut que je dorme.
Mais si je dormais juste d'un œil,
juste sur une oreille,
juste à moitié,
est-ce que je pourrais te voir arriver ?

NOËL : PÈRE NOËL DANS LA CHEMINÉE

Matériel
- Gouache
- Colle
- Ciseaux

Pour la cheminée
- 1 boîte en carton (mouchoirs de papier) de 14,5 cm x 12,5 cm x 11,5 cm
- Papier journal (facultatif)

Décoration
- Tampons d'ouate
- Cailloux

Pour le père Noël
- 1 cornet de papier
- Papier de soie
- Bouts de cure-pipes
- Cône de pin ouvert et assez gros

Décoration
- Tampons d'ouate

Fabrication

1. La cheminée:

Si la boîte n'a pas d'ouverture préperforée, en tailler une pour l'entrée de la cheminée.

2. Le chapeau:

Couper le cornet en deux et utiliser la pointe.

3. Peindre la boîte et le chapeau; laisser sécher.

4. Décoration de la cheminée:

Coller les cailloux sur les quatre côtés de la boîte et les tampons d'ouate à l'intérieur et à l'extérieur des rebords.

5. La tête:

Former une boule avec du papier de soie.
Coller des bouts de cure-pipes sur la boule pour les yeux et le nez.

6. Couper la pointe du cône de pin et y coller la tête.

7. Décoration du père Noël:

Le chapeau: coller des tampons d'ouate sur le bord et la pointe du chapeau, enduire l'intérieur de colle et le fixer sur la tête.
La barbe: coller des tampons d'ouate sous le nez.

Remarques

1. Si l'enfant veut faire une tête plus grosse, il pourra utiliser le cornet entier.

2. Si la tête du père Noël ne dépasse pas suffisamment de la cheminée, on pourra bourrer le fond de la boîte avec du papier journal.

apin tout vert
rempli de lumières
et de mystère.

De boules, de glaçons,
de guirlandes, de flocons
et de bonbons.

NOËL : SAPIN

Matériel

- 4 cornets de papier
- Papier essuie-tout
- Gouache
- Colle

Décoration

- Tampons d'ouate
- Petites étoiles préencollées
- Gommette autocollante en forme d'étoile

Fabrication

1. Aplatir les cornets et les peindre; laisser sécher.

2. Le sapin :

Chiffonner un morceau de papier essuie-tout et le coller sur la pointe d'un cornet, y mettre de la colle et fixer le second cornet par-dessus. Procéder de la même manière pour le reste du montage, sauf pour la pointe du dernier cornet sur laquelle on colle l'étoile.

3. Décorer le sapin en collant les tampons d'ouate et les petites étoiles.

Remarque

Il est préférable d'ajouter un point de colle sous les petites étoiles.

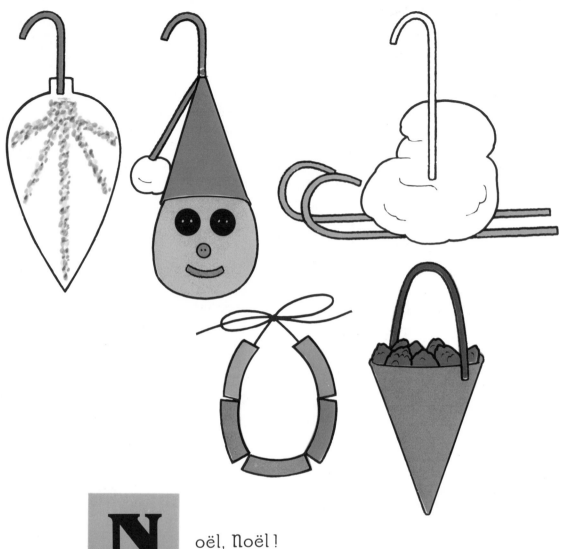

N oël, Noël !
Je pense à toi tout le temps.
Je t'attends depuis longtemps!

Noël, Noël !
Apporte-moi des cadeaux.
Des petits et des plus gros!

Noël, Noël !
Quand tu seras arrivé,
comme on va bien s'amuser!

Noël, Noël !
Ne sois pas si pressé.
Reste au moins jusqu'à l'été!

BONHOMME
Matériel

- 1 cornet de papier
- Papier journal
- Papier de soie
- 1 cure-pipe de 30,5 cm et un petit bout
- 3 boutons à trous
- Gouache
- Colle
- Ciseaux

Décoration

- 1 bout de cure-pipe
- 1 tampon d'ouate

Fabrication

1. Utiliser le cornet de papier pour le chapeau; couper le bout pointu et peindre le cornet; laisser sécher.

2. La tête:

Chiffonner un peu de papier journal en boule et l'entourer avec une extrémité du cure-pipe.
Continuer à entourer cette boule de papier journal jusqu'à la grosseur désirée, en laissant l'autre extrémité du cure-pipe sortir par le centre. Recouvrir la tête de papier de soie et coller les bouts pour terminer; une extrémité du cure-pipe se trouve maintenant fixée au centre de la boule et l'autre reste libre.

3. Coller deux boutons pour les yeux, un pour le nez et un petit bout de cure-pipe pour la bouche.

4. Poser le chapeau sur la tête en passant l'extrémité libre du cure-pipe à l'intérieur du cornet; le bout sortant du chapeau servira de crochet.

5. Décorer le chapeau en enroulant le bout de cure-pipe au crochet et en fixant un tampon d'ouate à l'autre extrémité.

Remarque

La tête est composée surtout de papier journal afin d'économiser le papier de soie.

ANNEAU
Matériel

- Pâtes alimentaires en forme de tubes courts, creux et légèrement coudés (*rigatoni*)
- Cordonnet
- Gouache

Fabrication

1. Peindre les pâtes; laisser sécher.

2. Enfiler les pâtes sur le cordonnet et réunir les extrémités de celui-ci en un joli nœud.

CORNE D'ABONDANCE
Matériel

- 1 cornet de papier
- Papier essuie-tout
- 1 cure-pipe
- Gouache
- Colle

Décoration

- Tampons d'ouate
- Cônes de pin ou d'épicéa (épinette)

Fabrication

1. Percer chaque côté du cornet pour pouvoir fixer l'anse; le peindre et laisser sécher.

2. Encoller l'intérieur du cornet et enfoncer jusqu'aux trois quarts de celui-ci du papier essuie-tout chiffonné. Coller quelques tampons d'ouate et quelques cônes pour remplir la corne.

3. Fixer les extrémités du cure-pipe dans les trous du cornet.

TRAÎNEAU
Matériel

- 1 alvéole de boîte à œufs
- 3 cure-pipes de 30,5 cm
- Colle
- Ciseaux

Décoration

- Tampons d'ouate

Fabrication

1. Tailler l'alvéole en ne laissant que la partie formant le dossier du traîneau.

2. Percer le fond de l'alvéole afin d'y passer un cure-pipe que l'on replie en dessous, l'autre bout servant de crochet de suspension.

3. Décorer le traîneau en collant des tampons d'ouate à l'intérieur et à l'extérieur de l'alvéole.

4. Coller deux cure-pipes sous l'alvéole et les recourber à l'avant pour leur donner la forme de patins.

Suggestion

On pourra simplement peindre l'alvéole.

BOULE DE NOËL
Matériel

- 1 récipient quelconque en polystyrène.
- 1 cure-pipe de 15 cm
- Colle
- Ciseaux

Décoration

- Petits cailloux colorés

Fabrication

1. La boule:

Découper la forme désirée dans le polystyrène.

2. Décorer la boule en y collant les cailloux colorés.

3. Fabriquer un crochet en piquant un cure-pipe dans le haut de la boule et en repliant l'autre extrémité.

Remarque

Il est préférable de ne pas utiliser de peinture sur ce genre de récipient parce que celle-ci aura tendance à s'écailler. Un matériel léger et mince adhère mieux à cette surface.

Suggestion

Pour la décoration, on pourra employer des bouts de ruban, des boules de papier de soie ou des bouts de cure-pipes.

ACTIVITÉS COLLECTIVES

I l y a toutes sortes de couronnes :
couronnes de fleurs et de feuilles,
couronnes d'or et d'argent ornées de diamants,
une couronne pour la reine, une pour le roi.
Même la dent de grand-maman porte une couronne !
La lumière qui entoure le Soleil et la Lune s'appelle aussi couronne

En voilà des couronnes !
Mais notre couronne à nous n'ira ni sur la tête ni dans la bouche.
Notre couronne à nous décorera la porte pour te souhaiter
Joyeux Noël !

COURONNE

Matériel

- 8 petites assiettes en carton rigide
- Agrafeuse
- Gouache
- Colle
- Ciseaux

Décoration

- Tampons d'ouate
- Papier de soie
- Cônes de pin ou de sapin

Fabrication

1. Peindre les assiettes; laisser sécher.

2. Décoration des assiettes:

Coller des tampons d'ouate dans le fond des assiettes et ajouter quelques cônes de pin ou de sapin.

3. La couronne:

Agrafer solidement ensemble les assiettes en formant un cercle.

4. Décoration de la couronne:

Découper des languettes de papier de soie, leur donner la forme de nœuds papillons et les coller entre chaque assiette.

Remarque

Après fabrication, il est préférable de placer du ruban adhésif sous chaque assiette afin que la couronne garde sa forme, une fois suspendue.

Je suis bien content de vivre au-dedans,
ah oui ! bien content.
Ce n'est pas toujours drôle dehors
pour les bonshommes de neige, vous savez.
Le vent leur arrache leur chapeau,
le trou de leur nez s'agrandit et la carotte tombe par terre.
La pluie les fait maigrir et se courber.
Le soleil du printemps, lui,
les fait disparaître complètement.
Ah oui ! je suis bien content de vivre au-dedans !

BONHOMME DE NEIGE

Matériel

- 26 petites assiettes en carton rigide
- Carton bristol
- Papier de bricolage
- Papier de soie
- Tampons d'ouate
- Foulard
- Agrafeuse
- Colle
- Ciseaux

Fabrication

1. Coller des tampons d'ouate sur toutes les assiettes.

2. La tête:

Prendre une première assiette et en agrafer solidement six autres autour d'elle.

3. Le corps:

Commencer par agrafer solidement trois assiettes pour la première rangée et continuer avec des rangées de quatre, de cinq, de quatre et de trois assiettes en agrafant également les rangées entre elles.

4. Les yeux et la bouche:

Chiffonner deux grosses boules de papier de soie pour les yeux et quelques petites pour la bouche; les coller sur la face.

5. Le nez:

Fabriquer un cône avec du papier de bricolage, entailler la base de ce cône, replier les entailles vers l'extérieur et coller sous les tampons d'ouate de l'assiette du centre.

6. Assemblage du bonhomme:

Agrafer solidement ensemble le corps et la tête.

7. Installation du bonhomme:

Fixer au mur le haut de la tête et le haut du corps avec un clou et consolider le montage des assiettes par du ruban adhésif.

8. Le chapeau:

Dessiner et découper le chapeau dans le carton bristol et le fixer à la tête en agrafant les deux côtés du bord à deux des assiettes du haut.

9. Nouer le foulard autour du cou.

**M**archent sur un fil, marchent sur une patte,
marchent sur les mains, voilà les acrobates !

Peux-tu sauter sur un seul pied ?
Demande à quelqu'un de tenir tes pieds en l'air
et essaie de marcher sur les mains comme les acrobates.

ACROBATES

Matériel

- 6 grandes assiettes en carton souple
- Carton bristol blanc
- Pâtes alimentaires en forme de tubes courts, creux et légèrement coudés (*rigatoni*)
- Fil de nylon
- Bouchons de liège
- 12 boutons à trous
- Agrafeuse
- Gouache
- Colle
- Ciseaux

Décoration

- Laine

Fabrication

1. Les membres:

Dessiner et découper les bras et les jambes dans le carton bristol.

2. Peindre les assiettes et les membres; laisser sécher.

3. Utiliser des boutons pour les yeux, des bouchons coupés en deux pour les nez, des pâtes pour les bouches. Coller des bouts de laine sur les assiettes pour simuler les cheveux.

4. Installation des membres:

Agrafer, pour plus de solidité, les bras et les jambes à l'assiette en leur donnant différentes positions.

5. La pyramide:

Agrafer les mains ensemble et les pieds sur le haut des assiettes.

6. Suspendre la pyramide avec du fil de nylon.

Suggestions

1. Si l'on ne désire pas réaliser un collectif, on pourra se borner à coller les membres de chaque bonhomme à l'assiette.

2. Selon le nombre d'assiettes, on pourra réaliser la pyramide de différentes façons.

3. On pourra employer des brindilles de paille, de la ficelle de jute ou du cordonnet pour les cheveux.

4. Ce bricolage pourra servir à explorer des thèmes comme l'amitié, la solidarité, etc. Les acrobates pourront alors représenter des amis et adopter d'autres positions (chaîne, ronde, etc.).

Un pied, une main,
c'est ton pied, non! c'est le mien.

Des orteils et des doigts
qui bougent comme il se doit.

Tout mon corps grandit,
mes mains et mes pieds aussi.

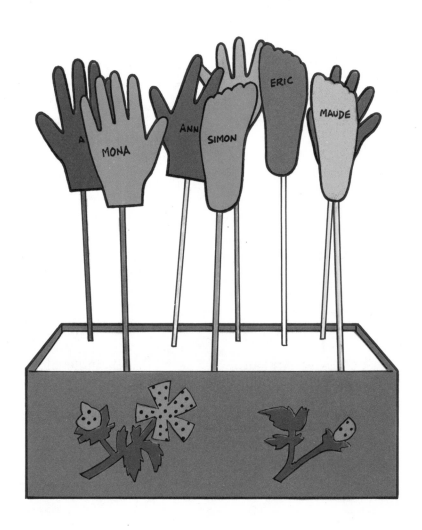

BAC À FLEURS

Matériel

- 1 boîte à chaussures
- Carton bristol blanc
- Papier journal
- 1 morceau de polystyrène
- Pailles en plastique
- Crayon
- Gouache
- Colle
- Ciseaux

Décoration

- Tissu

Fabrication

1. Les fleurs :

Contourner au crayon la main ou le pied de chaque enfant sur le carton bristol et découper ces formes.

2. Peindre la boîte, les mains et les pieds ; laisser sécher.

3. Identifier chaque forme par le nom de l'enfant.

4. Décoration de la boîte :

Dessiner des motifs floraux sur le tissu, les découper et les coller sur la boîte.

5. Remplir la boîte aux trois quarts avec du papier journal chiffonné et déposer un morceau de polystyrème par-dessus.

6. Installation des fleurs :

Coller les mains et les pieds sur les pailles et les piquer dans le polystyrène.

Suggestions :

1. On pourra découper les mains et les pieds dans du carton bristol de couleur et les décorer avec des crayons feutres.

2. On pourra décorer la boîte avec des gommettes autocollantes ou du papier de bricolage. L'application des pièces décoratives pourra se faire sans motifs précis afin d'en faciliter l'exécution.

3. On pourra réaliser ce collectif pour identifier les membres d'un groupe : famille, amis, etc.

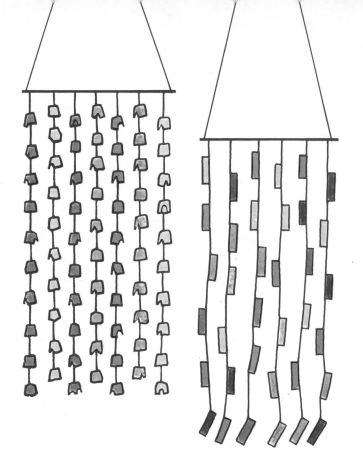

errière mon petit rideau,
quand vient le soir,
un coucou et deux corbeaux
me racontent des histoires.

Le grand arbre de la cour
s'en va faire un petit tour.
Il reviendra au matin
en faisant semblant de rien.

Les écureuils et les mouffettes*
préparent une grande fête.
Les fraises et les petits pois
eux non plus ne dorment pas.

Derrière mon petit rideau,
quand vient le soir,
un coucou et deux corbeaux
me racontent des histoires.

RIDEAUX

Matériel

- Alvéoles de boîte à œufs ou rouleaux de papier hygiénique
- Ficelle de jute ou fil de nylon
- Baguette ronde en bois
- Aiguille à gros chas
- Gouache
- Ciseaux

Fabrication

1. Découper les alvéoles avant de les peindre.

2. Peindre les alvéoles ou les rouleaux, selon le cas; laisser sécher.

3. Les rideaux avec les alvéoles:

Percer délicatement le centre de chacun des alvéoles avec l'aiguille et les enfiler sur la ficelle.

4. Les rideaux avec les rouleaux:

Percer deux trous symétriques, un à chaque extrémité des rouleaux et les enfiler sur le fil de nylon.

5. Assemblage des rideaux:

Nouer soigneusement le haut de chaque rangée sur la baguette.

Suggestions

1. On pourra disposer l'ensemble par rangées d'une seule couleur ou de couleurs variées. La dimension des rideaux dépendra de la quantité d'alvéoles ou de rouleaux utilisés.

2. Ces deux rideaux pourront servir à décorer une fenêtre ou à partager une pièce en deux.

---

* Petit mammifère carnivore d'Amérique, dit aussi «sconse».

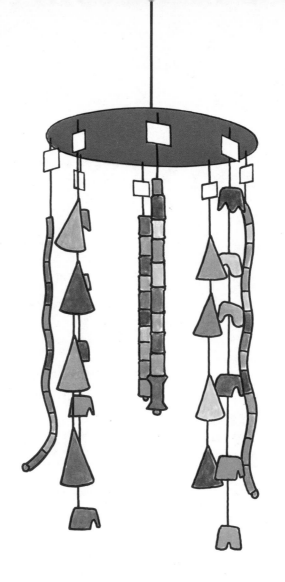

**S**ouffle sur le mobile.
Touche-le du doigt.
Ouvre la fenêtre.

Les formes et les couleurs se déplacent.
Le mobile bouge, danse, tourne et change.
On dirait un manège.
On dirait des oiseaux qui font la ronde.

MOBILE

Matériel

- Alvéoles de boîte à œufs
- Cornets de papier
- Carton épais et rigide (grosse boîte en carton)
- 2 cartons bristol
- Pâtes alimentaires en forme de tubes courts, creux et légèrement coudés (*rigatoni*)
- Bobines de fil
- Paille en plastique
- Aiguille à gros chas
- Ficelle de jute
- Baguette ronde et fine d'environ 4 cm de longueur
- Poinçon
- Gouache
- Colle
- Ciseaux

Fabrication

1. Fabrication du support:

Tailler dans le carton rigide et les deux cartons bristol trois cercles de 40,5 cm de diamètre.
Placer le carton épais entre les deux autres et les coller ensemble.
Percer des trous à intervalles réguliers tout autour du cercle, avec un poinçon.
Perforer le centre du carton de manière à pouvoir y passer une paille. (Ce mobile est conçu pour pivoter sans que la ficelle accroche ou s'enroule sur elle-même.)
Glisser la ficelle dans la paille, la laisser dépasser de quelques centimètres et nouer cette extrémité autour de la baguette après l'avoir passée par le trou du support.

2. Préparation du matériel:

Percer le centre des alvéoles et épointer les cornets.

3. Peindre les alvéoles, les cornets, les pâtes et les bobines de fil; laisser sécher.

4. Assemblage du mobile:

Enfiler les objets sur des ficelles, passer une extrémité de celles-ci dans les trous déjà percés dans le support, nouer chaque extrémité des ficelles.

Remarque

Le nombre de trous sera proportionnel au nombre de ficelles utilisées.

Suggestions

1. Si plusieurs enfants participent à la fabrication de ce mobile, on pourra identifier la ficelle de chacun par son nom.

2. On pourra enfiler différents objets sur une même ficelle.

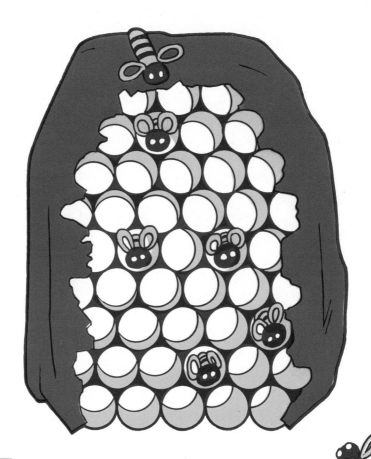

La ruche des abeilles, c'est comme un château.
La reine y habite avec ses sujets.

La ruche des abeilles, c'est comme une maison.
Une grande maison à plusieurs logements.

La ruche des abeilles, c'est comme une usine.
On y fabrique le miel et la cire.

Ma cousine la guêpe est plus élégante que moi, c'est vrai !
Et elle a la taille plus fine.
Elle se promène ici et là, toute la journée elle fait la belle.

Pendant que moi je butine, je butine du matin au soir.
Je bois le nectar des fleurs que je transforme en miel,
en bon miel doré.

Ma cousine la guêpe est plus élégante que moi, c'est vrai !
Et elle a la taille plus fine.

Mais quand elle veut se sucrer le bec, elle vient me voir
pour déguster le meilleur miel !   rrazin!

RUCHE

Matériel
- Papier essuie-tout
- Colle

Pour la ruche
- 45 rouleaux de papier hygiénique
- Papier de bricolage
- Gouache

Pour une abeille
- Papier de soie
- Cure-pipes
- Ciseaux

Fabrication

1. Peindre les rouleaux; laisser sécher.

2. La ruche:

Former une rangée avec cinq rouleaux collés ensemble et continuer le montage en alternant avec des rangées de six et cinq rouleaux.
Terminer le montage par une rangée de cinq, de quatre, puis de trois rouleaux.
Plier du papier essuie-tout et le coller sur les côtés, le dessus et l'arrière de la ruche.

Recouvrir le tout de morceaux de papier de bricolage déchirés et collés.

3. L'abeille:

Corps: plier un bout de papier essuie-tout deux fois dans le même sens, puis le rouler dans l'autre sens; recouvrir le rouleau avec du papier de soie et l'entourer d'un cure-pipe.
Tête: façonner une boule de papier de soie et la coller au corps.
Yeux: Coller de petites boules de papier de soie.
Ailes: Arrondir deux bouts de cure-pipe et les fixer au cure-pipe du corps, près de la tête.

4. Insérer les abeilles dans les alvéoles.

Remarque

Le nombre d'abeilles pourra dépendre du nombre d'enfants participant à l'activité.

 **J**'ai mille pattes, pas une de moins.
Sur mes mille pattes, je m'en vais loin.
Mais j'ai un problème pour me chausser.
Imaginez, mille bottes à acheter !

■ Jeu du mille-pattes:
Debout et en file indienne, les enfants se
tiennent par les épaules.
Le premier choisit un mouvement que tous
doivent imiter. À tour de rôle, on peut décider
de faire danser le mille-pattes, de le faire
sauter, reculer, marcher lentement,
rapidement, sur les pattes de gauche ou de
droite, etc.

MILLE-PATTES

Matériel

- 15 grandes assiettes en carton souple
- Cure-pipes de 30,5 cm
- 2 petites boules en polystyrène
- 3 pâtes alimentaires (*rigatoni*)
- Fil de nylon
- 1 baguette ronde en bois de 1,23 m de longueur
- 1 bouchon de liège
- 2 boutons à trous
- Morceaux d'éponge
- Poinçon
- Gouache
- Colle

Décoration

- Brindilles de paille

Fabrication

1. Peindre les boules et les assiettes à l'aide des morceaux d'éponge; laisser sécher.

2. Installation des pattes:

Percer deux trous à la base de chaque assiette, à l'aide du poinçon, et y fixer une extrémité de deux cure-pipes; leur donner la position désirée.

3. Coller des brindilles de paille sur le dessus de chaque assiette pour simuler les poils.

4. La face:

Coller, sur une assiette, les deux boutons pour les yeux, le bouchon de liège pour le nez et les pâtes pour la bouche.

5. Les antennes:

Piquer les deux boules à une extrémité de deux cure-pipes. Percer deux trous dans le haut de l'assiette servant de face et y fixer l'autre extrémité des cure-pipes.

6. Le mille-pattes:

Couper la baguette en trois. Suspendre cinq assiettes à chacun des trois bâtons à l'aide du fil de nylon.

7. Assemblage du mille-pattes:

Suspendre les trois baguettes au plafond en les disposant en zigzag, afin de donner un effet de mouvement au corps.

Remarque

Le nombre d'assiettes pourra dépendre du nombre d'enfants ou de l'effet recherché.

Suggestion

On pourra tailler les pattes dans du papier de bricolage et les coller derrière les assiettes.

Poisson long,
poisson rond,
poisson multicolore.

Es-tu triste, es-tu gai?
À quoi penses-tu toute la journée?
Comment fais-tu pour respirer?
Qu'est-ce que tu préfères manger?
Fermes-tu les yeux pour sommeiller?
Est-ce que tu as déjà rêvé?

Poisson long,
poisson rond,
poisson multicolore,
tu ne dis ni oui ni non,
tu ne réponds pas à mes questions!

POISSONS DANS L'AQUARIUM

Matériel

- 12 rouleaux de papier d'emballage: 4 de 66 cm, 4 de 46 cm et 4 de 40,5 cm
- Carton bristol blanc ou de couleur ou papier de bricolage
- Fil de nylon
- Aiguille à gros chas
- Ciseaux
- Gouache (facultatif)

Fabrication

1. Les poissons:

Dessiner et découper les poissons, à l'aide des patrons, dans le carton de couleur ou le papier de bricolage; du carton blanc peut aussi être utilisé, surtout si l'enfant est très jeune; l'adulte peut alors découper le poisson et l'enfant le peindre.

2. Peindre les douze rouleaux et les poissons, s'il y a lieu; laisser sécher.

3. L'aquarium:

Percer les extrémités des rouleaux à l'aide de l'aiguille et les assembler avec le fil de nylon; pour faciliter cet assemblage, commencer par la base en employant deux rouleaux de 66 cm et deux de 40,5 cm. Procéder de la même manière pour la partie du haut. Réunir la partie du bas à celle du haut en employant les quatre rouleaux de 46 cm.

4. Installation des poissons:

Tendre des fils de nylon entre les rouleaux supérieurs, y suspendre les poissons au bout de fil de nylon.

Remarque

Les dimensions de l'aquarium dépendront de la longueur des rouleaux employés.

Suggestion

On pourra suspendre l'aquarium avec du fil de nylon.

Des patrons sont fournis aux pages 248 et 249.

'est beau et grand la mer, tu sais,
dit la petite crevette.
Il y a toutes sortes de paysages,
de poissons, de coquillages,
des rochers, du sable doux,
des plantes un peu partout,
de l'ombre et de la lumière.
C'est un peu comme sur la Terre.
Je n'y suis jamais allée,
mais le phoque m'a raconté.
Sur la mer passent les bateaux
et l'ombre des oiseaux.
Il y a des étoiles dans la mer,
du bleu, du gris, du vert.
Quand je veux me reposer,
par les vagues je me laisse bercer
en écoutant le chant des baleines
et celui des sirènes.
C'est beau et grand la mer, tu sais,
dit la petite crevette.

POISSONS DANS LE FILET

Matériel

- Polystyrène de 2,5 cm d'épaisseur ou carton bristol blanc
- Morceaux de feutrine
- Fil de nylon
- Gouache
- Colle
- Couteau à découper

Décoration

- Filet de pêche

Fabrication

1. Les poissons:

Dessiner les poissons à l'aide des patrons sur le polystyrène ou le carton bristol.

Tailler les formes au couteau ou aux ciseaux, selon le matériel utilisé.

2. Peindre les poissons; laisser sécher.

3. Découper les yeux dans la feutrine et les coller.

4. Piquer deux cure-pipes pour les antennes du homard.

5. Installation des poissons:

Suspendre un ou deux filets au plafond avec du fil de nylon et disposer les poissons dans les mailles.

Des patrons sont fournis aux pages 248 et 249.

Oh Majesté! dit l'enfant au lion, j'aimerais tellement être
habile comme un singe,
rapide comme un zèbre,
lourd comme un hippopotame,
bossu comme un chameau,
gros comme un éléphant,
féroce comme un tigre,
grand comme une girafe.
Et j'aimerais tellement être beau
et fort comme vous, Majesté!
Le lion, en rougissant, répond à l'enfant:
— Moi, mon petit,
j'aimerais tellement être intelligent comme toi!

ZOO

Matériel
Pour les animaux

- Polystyrène de 2,5 cm d'épaisseur ou carton bristol blanc.
- Fil de nylon
- Gouache
- Couteau à découper ou ciseaux

Pour la clôture

- Carton bristol
- Agrafeuse
- Ciseaux

Fabrication

1. Les animaux:

Dessiner les animaux à l'aide des patrons sur le polystyrène ou le carton bristol.
Tailler les formes au couteau ou aux ciseaux, selon le matériel utilisé.

2. Peindre les animaux; laisser sécher.

3. La clôture:

Découper les bandes et les poteaux dans le carton; leur nombre dépendra de la longueur désirée.
Agrafer ensemble les bandes en formant deux rangées superposées et agrafer les poteaux verticalement aux points de jonction des bandes.

4. Installation du zoo:

Suspendre la clôture au plafond avec du fil de nylon et suspendre les animaux à l'intérieur.

Des patrons sont fournis aux pages 250, 251, 252 et 253.

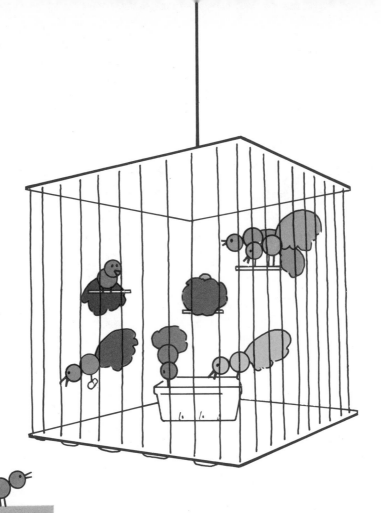

J'aimerais être une hirondelle
pour voler dans le ciel.
J'aimerais être un colibri,
c'est tellement joli.
J'aimerais être un pigeon voyageur
pour travailler comme un facteur.
J'aimerais être une mésange,
j'aurais l'air d'un petit ange.
J'aimerais être un perroquet
pour répéter ce qui me plaît.
J'aimerais être un moineau
pour voir le monde de là-haut.
J'aimerais être un pinson
pour chanter dans ta maison.

VOLIÈRE

Matériel

- 2 cartons épais et rigides de 53 cm² (grosse boîte en carton)
- 4 cartons bristol de 53 cm²
- Ficelle de jute
- Poinçon
- Colle
- Ciseaux
- 1 récipient en carton comprimé
- Fil de nylon
- 1 aiguille à gros chas
- 3 petites baguettes rondes de différentes longueurs

Fabrication

1. La volière:

Insérer chaque carton épais entre deux cartons bristol et les coller ensemble; on obtiendra deux cartons.
Percer dans chaque carton vingt trous à 5 cm d'intervalle et à 1,25 cm des bords. À cause du montage, le nombre de trous doit être pair.
Couper vingt ficelles de 2,35 m chacune.
Placer un carton à plat, enfiler chaque ficelle en U, c'est-à-dire rentrer une ficelle dans un trou, la passer par dessous et la ressortir par le trou suivant.
Procéder de la même manière tout autour du carton; chaque ficelle passera donc dans deux trous.

Maintenir droites et égales les deux extrémités de chaque ficelle et nouer chacune des ficelles à 47 cm de hauteur; le carton du haut se posera sur tous ces nœuds et le surplus de ficelle servira à suspendre la volière.
Enfiler toutes les extrémités des ficelles dans les trous de l'autre carton et les réunir au centre du dessus de la volière, avec de la corde, en attachant deux côtés à la fois; il restera une certaine longueur aux ficelles après les avoir attachées.
Diviser les ficelles en deux parties et tresser chacune d'elles pour faire la poignée. Attacher ensemble les tresses avec de la corde.

2. Installation des perchoirs:

Suspendre les perchoirs avec le fil de nylon, se servir de l'aiguille pour perforer le carton.

3. Coller le récipient sur la base de la volière; il servira de mangeoire.

Matériel

(pour 8 oiseaux)

- Morceaux de feutrine
- Cure-pipes
- 8 boules de polystyrène de 1,25 cm de diamètre (têtes)
- 8 boules de polystyrène de 5 cm de diamètre (corps)
- Plumes
- Bâtonnets plats
- Fil de nylon (facultatif)
- Gouache
- Colle
- Ciseaux

Fabrication

1. Peindre les boules; laisser sécher.

2. Les oiseaux:

Réunir la tête et le corps de chaque oiseau en piquant les deux boules aux extrémités d'un bout de bâtonnet.
Le bec: piquer un bout de cure-pipe plié en deux sur le devant de la plus petite boule.
Les pattes: piquer sous la plus grosse boule deux bouts de cure-pipe assez longs pour pouvoir les enrouler autour du perchoir.
Les yeux: découper et coller des morceaux de feutrine.
La queue: piquer quelques plumes sur le croupion de l'oiseau.

3. Installation des oiseaux:

Fixer les oiseaux sur les perchoirs par leurs pattes; si les oiseaux penchent vers l'avant, soutenir leur tête avec du fil de nylon attaché au carton du haut.

Remarque

1. Pour réunir la tête et le corps, il est important d'employer un bâtonnet plat pour empêcher les boules de tourner.

2. Le nombre d'oiseaux pourra dépendre du nombre d'enfants participants ou de l'effet désiré.

Suggestion

Selon l'effet désiré, la volière pourra être ronde ou rectangulaire, plus petite ou plus grande que celle proposée ici.

CADEAUX
À OFFRIR AUX ENFANTS

Tic, tac, tic, tac!
Dans mon coeur,
il y a un petit moteur,
entends-tu comme il bat?
Il est plein d'amour pour toi.
Tic, tac, tic, tac, tic, tac, toc!

NAPPERON DE LA SAINT-VALENTIN

Matériel

- Carton bristol
- Vinyle transparent auto-adhésif
- Ciseaux

Fabrication

1. Tailler dans le carton un grand cœur pour le napperon et un petit pour le sous-verre.

2. Déposer le petit cœur sur le côté du grand et les plastifier des deux côtés.

Suggestions

1. Ce modèle de napperon pourra facilement se transformer en sapin pour Noël, en citrouille pour l'Halloween, etc.

2. L'enfant peut dessiner, peindre ou découper son propre modèle. L'adulte pourra l'aider à le plastifier.

**L**e lapin dit au canard:
Bonjour, mon cher, il fait beau dehors!
Le canard dit au lapin:
Très beau, mon cher, allez-vous bien?
Le lapin dit au canard:
Vous êtes un ami en or!
Le canard dit au lapin:
Promenons-nous dans le jardin.
Le lapin dit au canard:
Voulez-vous une carotte ou un épinard?
Le canard dit au lapin:
Non merci, je n'ai pas faim.
Le lapin dit au canard:
Il fait beau, mais il est tard.
Le canard dit au lapin:
Nous nous reverrons demain!

BONBONNIÈRES

LAPIN
Matériel

- 2 récipients à couvercle en polystyrène (*hamburger*)
- Carton bristol de couleur
- Papier de soie
- 2 cure-pipes de 30,5 cm
- Colle
- Ciseaux
- Fil et aiguille

Fabrication

1. Le corps du lapin:

Superposer les deux récipients comme sur l'illustration et les ouvrir; coudre ensemble par l'intérieur les parties des deux récipients qui se touchent.

2. La queue:

Chiffonner du papier de soie en boule, mettre de la colle sur cette boule et la coller à l'arrière du récipient qui sert de corps au lapin.

3. Le nez:

Chiffonner une petite boule de papier de soie et la coller sur la face du lapin.

4. Les yeux et les oreilles:

Les dessiner et les découper dans du carton bristol, les coller sur la face du lapin.

5. Les moustaches:

Couper chacun des deux cure-pipes en trois parties et en piquer trois de chaque côté sous le nez.

CANARD
Matériel

- 2 récipients à couvercle en polystyrène (*hamburger*)
- Carton bristol de couleur
- Quelques plumes
- Colle
- Ciseaux
- Fil et aiguille

Fabrication

1. Monter les récipients en procédant comme pour le lapin.

2. La queue:

Piquer quelques plumes à l'arrière du récipient qui sert de corps au canard; pour faciliter l'opération, percer de petits trous au préalable.

3. Les yeux, le bec et les pattes palmées:

Les dessiner et les découper dans le carton bristol; le bec et les pattes peuvent être fixés solidement avec du fil.

Remarque

1. Il est préférable de ne pas utiliser de peinture sur ce genre de récipient parce que celle-ci aura tendance à s'écailler. Le matériel léger et mince adhère mieux à cette surface.

2. Pour l'utiliser comme bonbonnière, on doit placer l'ouverture du récipient de base à l'avant.

Cache, cache des surprises
des jouets, des friandises.
Mes petits cadeaux pour toi
te feront rire aux éclats!

POCHETTES DE NOËL

Matériel

(pour chaque pochette)
- 1 grand morceau de feutrine
- 1 cordonnet
- Fil et aiguille
- Colle
- Ciseaux

Décoration

- Bouts de feutrine

TRAIN
Fabrication

1. Tailler en double le train, la cheminée, la fenêtre, la grande roue et les deux petites, dans la feutrine, à l'aide du patron.

2. Coudre les deux côtés du train en prenant soin de placer un bout du cordonnet entre les deux épaisseurs de la cabine; ne pas coudre entre la cabine et la cheminée (voir illustration).

3. Coudre les deux côtés de la cheminée au train en y insérant l'autre bout du cordonnet.

4. Coller les fenêtres et les roues de part et d'autre du train.

ÉTOILE
Fabrication

1. Tailler en double l'étoile et le cercle dans la feutrine, à l'aide du patron.

2. Coudre les deux côtés de l'étoile en prenant soin de placer les deux bouts du cordonnet entre les extrémités de deux pointes et ne pas coudre entre celles-ci.

3. Coller les cercles au centre, de part et d'autre.

Suggestion

La pochette pourra avoir la forme d'une boule de Noël.

Des patrons sont fournis à la page 249.

arionnette tête de bois,
marionnette, raconte-moi
une histoire de roi,
de loups dans les bois.
Il était une fois...
Marionnette, raconte-moi !

MARIONNETTES

«PUNK»

Matériel

- Lavette
- Morceaux de feutrine
- Fil et aiguille
- Ficelle
- Tissu
- Crayon feutre
- Démêloir (peigne à grosses dents)
- Colle
- Ciseaux
- Pistolet cloueur (facultatif)

Fabrication

1. La tête:

Démêler les brins de la lavette à l'aide du peigne.
Relever quelques brins du centre vers le haut, en colorer quelques-unes avec le crayon feutre et attacher le reste vers le bas avec de la ficelle.
Tailler les brins du haut à la longueur désirée et égaliser celles du bas.
Tailler les yeux et la bouche dans la feutrine et les coller.

2. Les vêtements:

Tailler ceux-ci dans le tissu à l'aide du patron.
Robe et cape: les faufiler à 1,5 cm du bord et les plisser jusqu'à ce que l'on obtienne une longueur de 10 cm.
Coller la robe autour du bâton et la cape par-dessus.
Foulard: le nouer autour du cou.

Remarque

Pour plus de solidité, agrafer les vêtements sur le bâton avec un pistolet cloueur.

«PAYSANNE»

Matériel

- Lavette
- Morceaux de feutrine
- Fil et aiguille
- Ficelle
- Tampon d'ouate
- Du jute et un autre tissu
- Démêloir (peigne à grosses dents)
- Colle
- Ciseaux
- Pistolet cloueur (facultatif)

Fabrication

1. La tête:

Démêler les brins de la lavette à l'aide du peigne et les attacher vers le bas avec de la ficelle.
Séparer le bout des brins pour en faire deux couettes et les attacher avec de la ficelle.
Tailler les yeux et la bouche dans la feutrine et les coller.

2. Les vêtements:

Tailler le chapeau dans le jute et la robe dans l'autre tissu à l'aide du patron.

Des patrons sont fournis à la page 254.

Robe: la faufiler à 1,5 cm du bord et la plisser jusqu'à ce que l'on obtienne une longueur de 11,5 cm; la coller autour du bâton.

Chapeau: le faufiler à 5 cm du bord et le plisser légèrement, placer le tampon d'ouate sur le dessus de la tête et coudre le chapeau par-dessus.

Remarques

1. Pour le chapeau, on pourra utiliser le jute parce qu'il a plus de corps qu'un autre tissu.

2. Pour plus de solidité, agrafer la robe autour du bâton avec un pistolet cloueur.

«GRAND-MÈRE»

Matériel

- Lavette
- Feutrine
- Fil et aiguille
- Ficelle
- Tampon d'ouate
- Démêloir (peigne à grosses dents)
- Colle
- Ciseaux
- Pistolet cloueur (facultatif)

Fabrication

1. Fabrication de la tête:

Démêler les brins de la lavette à l'aide du peigne, les attacher vers le bas avec de la ficelle et égaliser les bouts; les brins sous la ficelle formeront une collerette.

Tailler les yeux et la bouche dans la feutrine et les coller.

2. Les vêtements:

Tailler ceux-ci dans la feutrine à l'aide du patron.

Robe: la faufiler à 1,5 cm du bord et la plisser jusqu'à ce que l'on obtienne la longueur de 11,5 cm; la coller autour du bâton.

Bonnet: le faufiler à 0,25 cm du bord et le plisser légèrement.

Placer le tampon d'ouate sur le dessus de la tête et coudre le bonnet par-dessus.

Bande: la placer entre la tête et la collerette, coudre les deux bouts à l'arrière.

Tailler les boutons dans la feutrine et les coller sur la robe.

Remarque

1. Pour plus de solidité, agrafer la robe autour du bâton avec un pistolet cloueur.

LES PATRONS

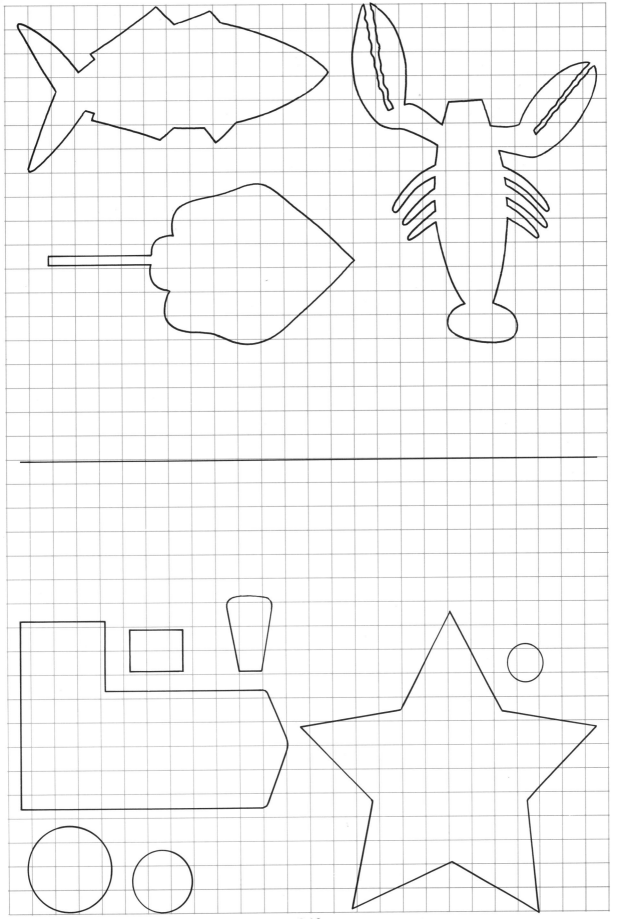

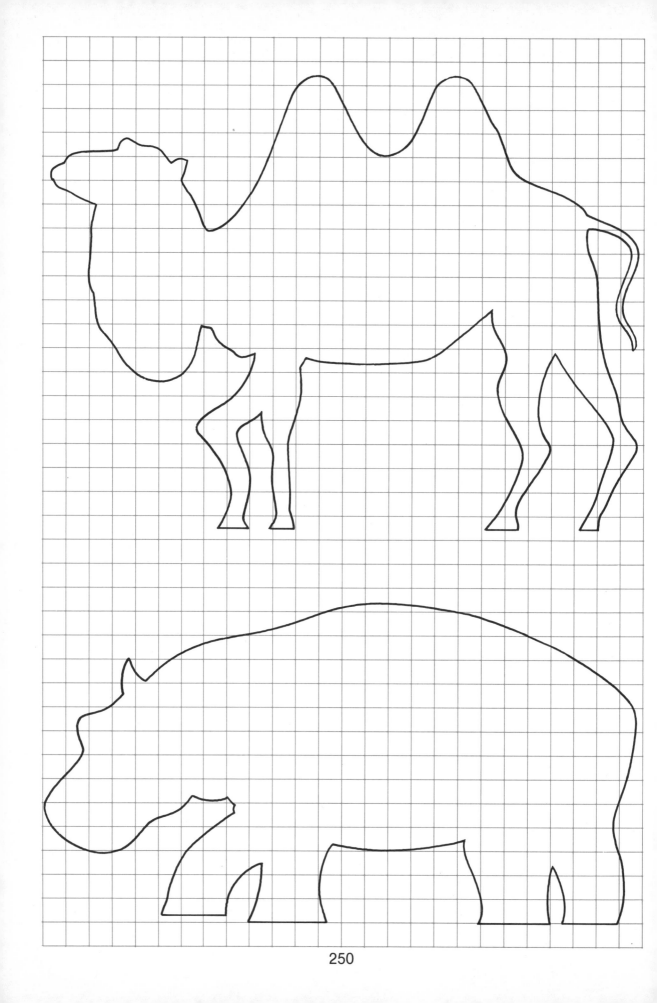

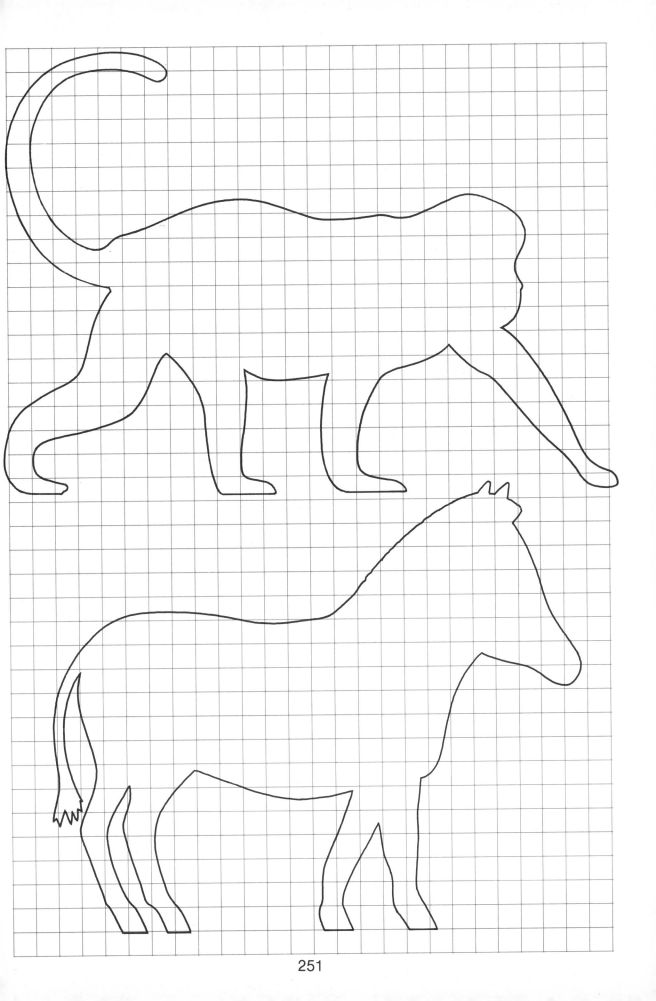

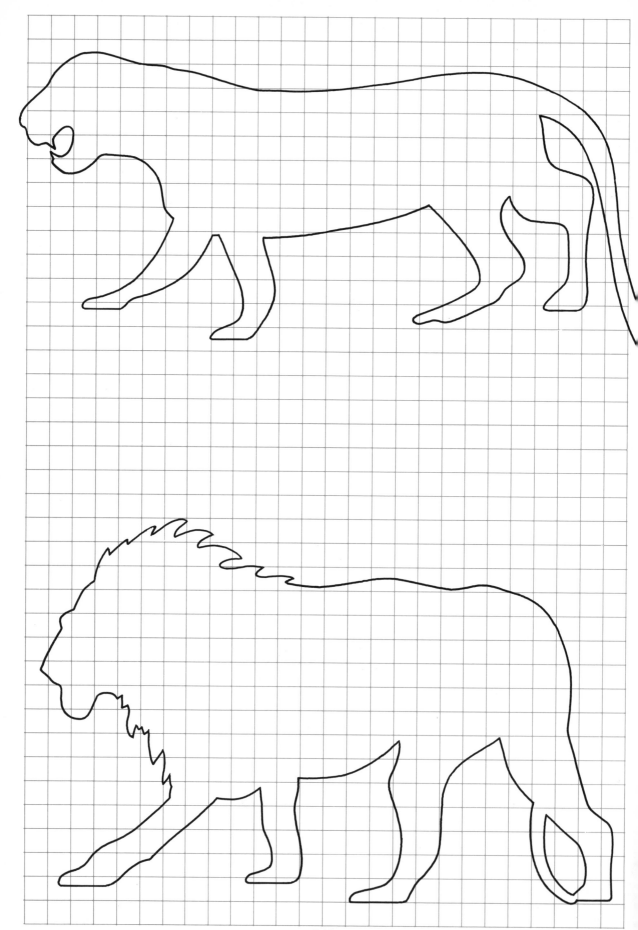

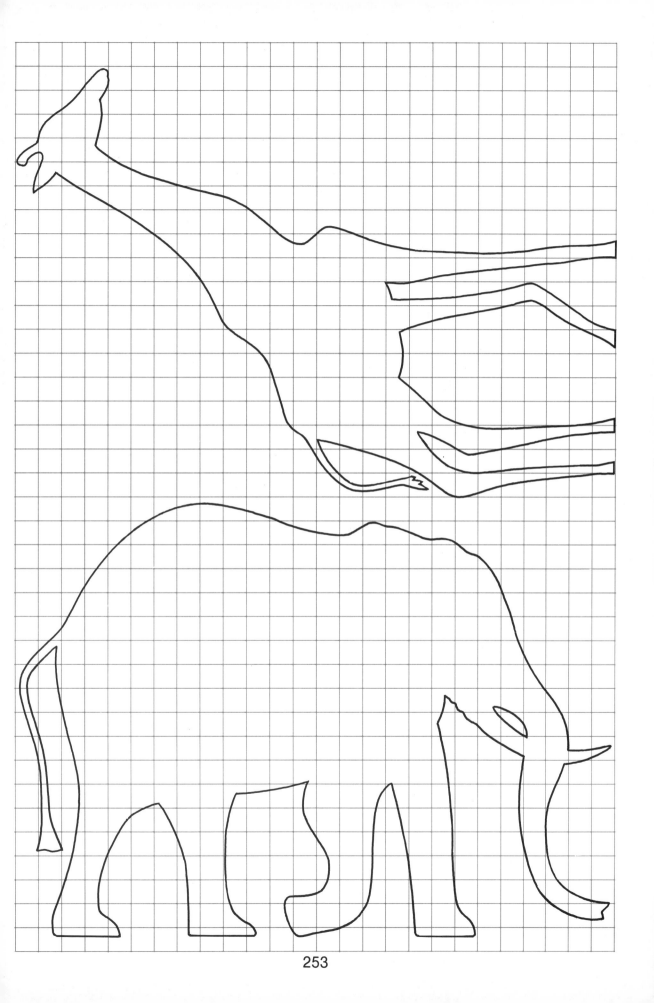

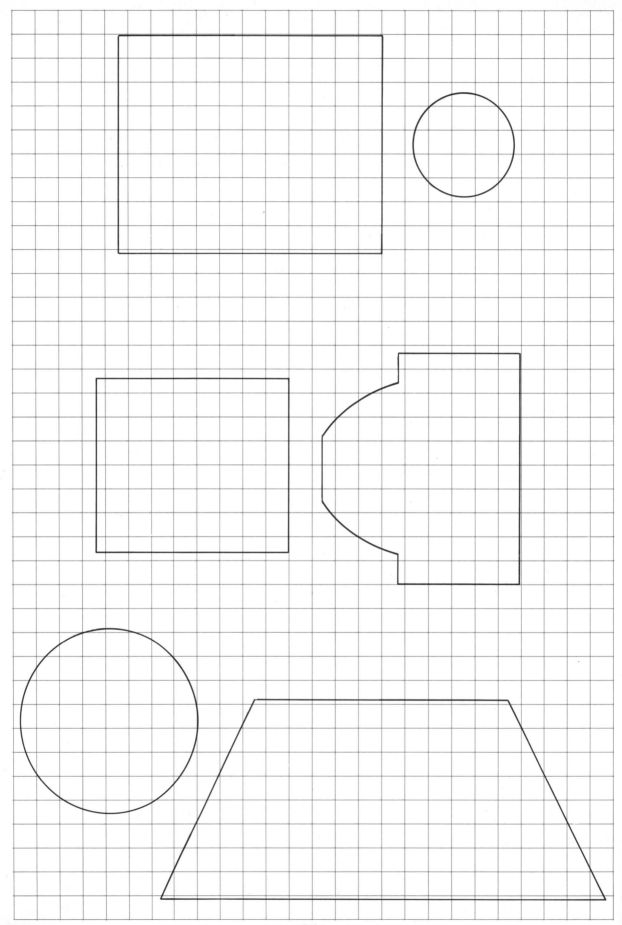

TABLE DES MATIÈRES